Fabio Canino

RAINBOW REPUBLIC

Romanzo distopico gay

MONDADORI

Rainbow Republic
di Fabio Canino

ISBN 978-88-04-66005-7

© 2016 Mondadori Libri S.p.A., Milano
I edizione gennaio 2016
Anno 2016 - Ristampa 1 2 3 4 5 6 7

Indice

Rainbow Republic

a Lady Formilli

Esiste solo un modo per amare: amare.

OSCAR WILDE

Atene, 28 giugno

Se fossimo in un film, la musica dei titoli di testa sfumerebbe per lasciarci sentire le grida di gioia che riempiono una piazza gremita di gente, nel centro di Atene. L'obiettivo lentamente si restringerebbe su uno dei partecipanti: Ulisse Amedei, giornalista italiano venuto in visita in Grecia per prendere parte alla Giornata mondiale per i diritti Lgbt, qui diventata festa nazionale.

Se poi potessimo leggere nella sua mente, scopriremmo che in questo momento lui sta pensando a una sola cosa: "Un paradiso non è un paradiso senza amore. E quanto amore c'è, adesso, in questa piazza, in mezzo a questo tripudio di colori e musica?".

Dovunque si gira, Ulisse se ne sente circondato. I suoi contorni sono luminosi, e gli scaldano il cuore.

Eccolo, per esempio, nello sguardo di due ragazzi che si sono appena staccati da un bacio, nel sorriso entusiasta di una bambina mano nella mano con le sue due mamme, nello sfilare di una drag queen dallo sguardo da diva. O ancora nell'espressione serena di una di quelle che vengono definite «famiglie tradizionali»: una mamma, un papà e un ragazzino di suppergiù dodici anni.

Oggi ad Atene si festeggia la Giornata nazionale dei diritti Lgbt, i diritti di lesbiche, gay, bisessuali e transessuali.

Sì, così avrebbe scritto in uno dei suoi articoli fino a qualche giorno fa. Adesso invece, non appena farà ritorno in albergo e lo schermo bianco del computer gli chiederà di essere riempito di parole, scriverà qualcos'altro: che quella è la festa di tutti, che i diritti Lgbt sono i diritti di tutti, che non esiste civiltà senza diritti. E che gli amori sono tutti uguali e tutti diversi. Proprio lui, per cui fino a questo momento la cosa più gay erano gli *strani amori* della Pausini.

Ma soprattutto scriverà che se gay significa «gaio», oggi lui è estremamente gaio, anche lui, oggi, è *gay*.

Certo, gli piacciono ancora le donne – e sempre e solo le donne. Questo lo scriverebbe anche col sangue. Ma come non essere contagiati da quella grande, immensa festa?

Un ragazzo gli si avvicina. Ha un berretto rosso in testa, gli occhi accesi e speranzosi e ha un arcobaleno dipinto su entrambe la guance.

«Vuoi?» dice mostrando a Ulisse un aggeggino.

Il giornalista fa un'espressione strana. Che diavolo è?

Ma il ragazzo, senza aspettare la sua risposta, glielo passa su entrambe le guance, e poi corre via con un sorriso che va da orecchio a orecchio, bellissimo.

Ulisse si gira verso una vetrina e si vede: un quasi cinquantenne italiano con due piccoli arcobaleni dipinti sul volto.

Sorride. In fondo, quei colori gli donano.

È vero, per quanto lo si possa respingere, quando l'arcobaleno fa capolino, alla fine conquista tutti.

Non bisogna avere paura dei colori. Del resto il mondo è a colori, non in bianco e nero: ogni colore è un profumo, ogni colore è una musica, e non si può rinunciare ai colori, ai profumi e alla musica.

Sarebbe come rinunciare alla vita stessa.

Parte prima

ITALIA

1

Capitolo bordeaux

La ragazza, il corpo abbandonato sul letto sfatto, illuminato dai raggi del sole di metà giugno che penetravano dalle tapparelle, si voltò verso di lui e disse con una voce un po' roca: «Mamma mia, Ulisse... sei stato fantastico...».

Ulisse Amedei accennò un sorriso socchiudendo leggermente gli occhi, come se in fondo si aspettasse quel complimento. Non era infatti la prima volta che se lo sentiva dire, nella sua ormai più che trentennale carriera con le donne.

Aveva iniziato a sedici anni. Lei si chiamava Aurora, era una compagna di classe a cui aveva chiesto di aiutarlo nei compiti di matematica. Un pomeriggio di aprile le aveva tolto dal naso gli occhialoni con montatura di tartaruga che la rendevano tanto impacciata e le aveva stampato un bacio sulle labbra, facendola diventare paonazza. Poi l'aveva condotta fino al suo lettino singolo e, nonostante si vergognasse del suo copriletto con le nuvole, in neppure due minuti di gloria aveva detto addio alla verginità.

Da allora non si era più fermato, neppure dopo il matrimonio con Sonia, una donna alta e dal carisma magnetico, che era riuscita a tenerlo al cappio della monogamia per quasi due anni.

Ulisse era corteggiato. Non era bello, ma il fisico slanciato e il volto irregolare, sempre abbronzato, gli occhiali da sole che metteva spesso anche d'inverno, erano una sorta di calamita per le donne. Ma anche per gli uomini. Più d'uno aveva provato a fargli delle avance. Ulisse, però, si era sempre tirato indietro: sperimentare gli piaceva, ma a tutto c'è un limite.

E poi, pensava rimirando la ragazza sdraiata al suo fianco, ancora leggermente ansimante, come rinunciare alle curve sensuali del seno di una donna, ai segreti del suo piacere, a quella ritrosia tutta femminile che alla fine lui riusciva a trasformare in puro desiderio?

Ulisse si mise a sedere sul letto e cominciò a rivestirsi, iniziando dai calzini neri.

La ragazza – Giulia, una studentessa di Scienze dei beni culturali che aveva conosciuto in un bar nei pressi dell'università – si voltò verso di lui, i lunghi capelli neri sparsi su tutto il cuscino come raggi disordinati.

«Vai già via?» mormorò.

«Sì, cucciola» rispose Ulisse abbottonando il primo bottone della camicia bianca a righe blu. «Ho una riunione in redazione fra poco.»

«Che palle!»

«Ehi, si esprime così una ragazza perbene?» scherzò lui accarezzandola sul basso ventre.

«Mi esprimo come cazzo mi pare» fece lei aprendo le gambe e spingendosi in mezzo la mano dell'uomo. Poi, socchiudendo gli occhi, aggiunse: «Cos'è, non hai più voglia?».

Certo che la ritrosia femminile Giulia non sapeva neppure dove stesse di casa, pensò Ulisse.

«Sai che con te ho sempre voglia» le rispose. «Ma adesso devo proprio scappare.» E si chinò a baciarla, afferrandole il mento con la mano destra: quel bacio appassionato a cui nessuna donna finora era mai riuscita a resistere.

Neppure quelle sfrontate e apparentemente indipendenti come Giulia.

Si diresse verso la porta d'ingresso fischiettando, la leggera giacca di cotone buttata dietro la spalla destra e la borsa di pelle Piquadro sulla sinistra.

Quando fu sulle scale estrasse il cellulare dalla tasca. Gli era arrivato un messaggio: «Ti liberi dopo cena, allora? Io ti aspetto col dessert a casa mia...». Beatrice, una direttrice di banca quarantaduenne che aveva conosciuto in palestra, ai tapis roulant.

«Certo, piccola» digitò.

E, ancora fischiettando, uscì dal palazzo in cui abitava Giulia. La sua Smart Roadster lo aspettava a pochi metri da lì, parcheggiata sul marciapiede.

In fondo alla strada vide un'ausiliaria della sosta in avvicinamento. Giusto in tempo, si disse accendendo il motore e schizzando nel traffico pomeridiano di Milano.

La redazione di «X-Style», la rivista mensile per cui scriveva da ormai dieci anni, si era da poco trasferita in zona Garibaldi, all'ombra degli avveniristici grattacieli che avevano cambiato il volto della città facendo credere a molti milanesi di vivere in una metropoli.

Quella di Ulisse Amedei era una delle firme più note della testata. E d'altronde, oltre che con le donne, Ulisse aveva un'invidiabile carriera anche nel mondo del giornalismo.

Aveva cominciato, giovanissimo, nella redazione del «Giornale» di Indro Montanelli, per poi approdare al «Corriere della Sera», per il quale si era occupato della pagina sportiva: era un tifoso sfegatato dell'Inter e non si perdeva una corsa di Formula Uno. Per non parlare del ciclismo, che praticava da dilettante, se «dilettante» si può definire uno che va da Milano a Como e da Como a Milano in giornata senza essere costretto il giorno dopo a rimanere a letto, paralizzato dai dolori.

In quegli anni la sua vita era cambiata. Oltre a essersi sposato con Sonia ed essere andato a vivere nell'attico in Porta Romana con vista sulla Madonnina che aveva messo a loro disposizione il padre di lei, imprenditore nel ramo della ristorazione, le sue abitudini si erano fatte decisamente più mondane. La cerchia delle sue amicizie si era allargata e al contempo fatta più selezionata, ed era spesso e volentieri invitato – con la moglie o no – a party esclusivi sulle terrazze della città meneghina.

Quella Milano era diventata il suo habitat naturale, sebbene lui venisse da una famiglia piuttosto modesta della campagna piacentina e da piccolo corresse nel cortile dietro alle anatre invece di giocare, come adesso, a paddle tennis in campi privati.

Aveva ricominciato a fumare – vizio che a fatica la non ancora moglie Sonia era riuscita a estirpare dalle sue abitudini – e aveva preso ad alzare il gomito un po' più del dovuto. I tradimenti coniugali, poi, non si contavano nemmeno. Era come se ci fosse un accordo tra Ulisse e la moglie. Lui usava quel minimo di accortezza per non far sì che fossero plateali, e lei, dal canto suo, non poneva domande. Ogni tanto facevano sesso – ed era comunque un gran bel sesso –, andavano al cinema insieme, chiacchieravano amabilmente. In fin dei conti si volevano bene: un matrimonio imperfetto, che per loro però funzionava alla perfezione.

In questo nuovo clima fatto di feste e di relazioni pubbliche, Ulisse aveva spostato i suoi interessi proprio su quella vita mondana di cui ormai faceva parte, e man mano era entrato in quella nebulosa di tutto-e-niente che prende il nome di «life style»: dalle nuove mode in ambito culinario al gergo degli adolescenti, fino ai nuovi orizzonti della cura della persona.

Così era approdato a «X-Style», che in termini di moda e, appunto, di «life style», era la numero uno. In un momento in cui le tirature di tutte le riviste registravano picchi verso il basso, il mensile «X-Style» reggeva. Era la rivista che le donne leggevano dal parrucchiere, dalla pensionata (quella che ancora qualche volta si chiedeva: "Dov'è finito 'Grand Hotel'?") con la testa dentro il casco, alla ragazzina che aspettava il suo turno per farsi tingere le ciocche di rosa shocking perché-io-sono-strana. Era la rivista che riusciva a far diventare un libro di culto, bastava una buona recensione o un'intervista all'autore ed ecco che nella classifica dei più venduti della settimana successiva quel libro schizzava ai primi posti. Era la rivista che segnava, in qualche modo, anche l'agenda politica, visto che gli argomenti trattati da «X-Style» finivano ben presto sulla bocca di tutti, spostando una significativa fetta dell'opinione pubblica. Del resto, diciamoci la verità, in Italia si fa anche presto a spostare l'opinione pubblica...

Ulisse Amedei faceva parte di questa macchina da guerra dell'editoria da poco dopo la sua fondazione. Pur rimanendo orgogliosamente freelance, perché la libertà era il valore a cui non avrebbe mai e poi mai rinunciato, era comunque una firma alla moda e inscindibilmente legata alla testata. Erano i lettori stessi a reclamarlo, e se per un motivo o per l'altro il pezzo di Ulisse Amedei un mese mancava dalle pagine di «X-Style», la redazione riceveva centinaia di mail di protesta.

A piacere era sì il suo stile scherzoso, ma anche il fatto che – forte di una cultura umanistica alimentata in anni e anni di letture – Ulisse fosse in grado di dare anche all'argomento più frivolo un manto di serietà che aveva del miracoloso. Per esempio, per un articolo su un pupazzetto lanciato sul mercato giapponese per dare guerra a Hello Kitty riusciva ad avere i commenti di Umberto Eco e del direttore del MoMA di New York. E il pezzo diventava subito virale: la rete si scatenava su tutti i social network, gli accessi al sito della rivista si centuplicavano, e anche le copie vendute in edicola ne beneficiavano.

«Ho una sorpresa, Ulisse, un'enorme sorpresa per te» gli aveva anticipato il direttore, Gualtiero Riccobono, invitandolo quel giorno in redazione.

Ma non aveva scucito una sola informazione di più. Solitamente qualche indizio glielo concedeva, quindi voleva dire che qualcosa di veramente grosso stava bollendo in pentola. Quale servizio gli avrebbe affidato adesso? Magari qualcosa in giro per il mondo, come quella volta in cui aveva dovuto scrivere una fenomenologia dei groupies di Lady Gaga, i little monsters, e aveva dovuto seguire parte del tour della cantante, intervistando i suoi fan, passando del tempo con loro, registrando i loro look più o meno bizzarri, ascoltando le loro speranze o le loro paure. Ne era venuto – modestia a parte – un pezzo strepitoso, tanto che la cantante l'aveva ritwittato e gli accessi al sito avevano segnato il loro record storico.

Quando entrò nella redazione, Ulisse non sentì una particolare aria di fermento. Tutto sembrava come al solito.

Si trattava di un open space finestrato. All'ingresso venivi accolto da Monica, una segretaria dalle unghie laccate di blu e i capelli sempre in piega che più di una volta Ulisse si era portato a letto, con grande soddisfazione di entrambi.

Quindi c'erano i redattori, alcuni storici, altri stagisti che si alternavano per imparare il mestiere e per far risparmiare la proprietà della rivista.

La sua croce era Elisa, capelli corti e sguardo beffardo, un po' perché ancora non era riuscito a farla cedere al suo fascino ma soprattutto perché era un'editor spietata, a volte fin troppo invadente nei suoi pezzi. E senza mai chiedergli neppure un parere: quando rileggeva i propri articoli pubblicati, trovava aggettivi scomparsi, frasi rigirate, e a volte interi passaggi completamente cassati. Il tutto con l'approvazione del direttore, che la adorava e la portava sempre in palmo di mano.

Ulisse doveva ammettere che spesso gli interventi erano migliorativi, ma non essere neppure interpellato, unito a quel suo invito galante che Elisa aveva fatto cadere nel vuoto, aveva reso il loro rapporto decisamente conflittuale.

«Allora?» le disse Ulisse avvicinandosi alla sua scrivania. Sopra lo schermo della ragazza faceva bella mostra di sé una sciarpa dell'Inter, l'unica passione che li avvicinava un po'. «Sai di che si tratta?»

«Cosa?»

«Come, cosa? Il pezzo che il direttore vuole affidarmi.»

Elisa lo guardò da dietro gli occhiali dalla montatura squadrata. «Amedei, il mondo non ruota intorno a te. E di sicuro non il mio!»

«Anch'io ti amo *molto*.»

Da Elisa non sarebbe riuscito a cavare nulla, così andò al tavolo dove lavoravano Rossella, una redattrice, e Silvana detta la Silvy, grafica, che trovò a parlottare animatamente. L'argomento era il Family Day, la manifestazione a favore della famiglia tradizionale che si era tenuta il giorno prima a Roma e che pareva aver radunato molte persone, tutte al grido: «Difendiamo i nostri figli!». Sui numeri c'era il solito cancan dei dati: gli organizzatori dicevano un milione, alla berlusconiana maniera, mentre le associazioni Lgbt – e soprattutto la Questura – sostenevano che fosse impossibile che tanta gente ci stesse fisicamente dentro piazza San Giovanni. In ogni caso era stato un successo, e la notizia si trovava sulle prime pagine dei quotidiani, cosa invece mai accaduta per qualsivoglia Gay Pride, relegato semmai a un quadratino col rimando a una pagina interna.

«Sul matrimonio sono d'accordo» stava dicendo Rossella, «in fondo siamo nel ventunesimo secolo, ma sull'adozione e sulla fecondazione ci andrei un po' cauta...»

«E perché?» La Silvy era quella che in gergo si definisce una «frociarola»: trentasette anni, aveva solo amici gay, e mal sopportava il resto dell'universo femminile, compresa la compagna di scrivania, con cui aveva frequenti battibecchi.

«Per i bambini. Ma ti immagini tu, senza un papà e una mamma, un *maschio* e una *femmina*?»

«I miei genitori sono stati un autentico disastro. Si sono separati quando io avevo undici anni, praticamente nel momento peggiore che potessero scegliere per il mio futuro sviluppo *psicologico*... Se non fosse che ora entrambi non se la passano così bene dal punto di vista economico, gli chiederei il conto della mia terapia! Probabilmente due mamme e due papà avrebbero fatto un lavoro migliore.»

«Ma il tuo è un caso... particolare» commentò timidamente Rossella. «E comunque almeno tu hai avuto, come riferimento, persone di entrambi i sessi, e penso che per la tua maturazione psic...»

«Cazzate!» la interruppe l'altra. «Ci sono studi seri che dimostrano che un bambino cresciuto da due genitori omosessuali cresce bene quanto uno allevato in una famiglia "tradizionale".»

«E ha le medesime possibilità di diventare gay, non una di più» intervenne Ulisse, mettendo una mano sulla spalla della Silvy.

Lei si voltò e gli sorrise. «Che piacere vederti» gli disse. La Silvy non era bella, ma era simpatica, spigliata, intelligente. Là dentro era fra le persone che lui preferiva, e una delle poche donne con cui non ci avesse provato.

«Buongiorno, Ulisse» lo salutò anche Rossella, perfetta donna di casa, sposata e con due figli, che approfittò del suo arrivo per tornare a concentrarsi sul monitor.

«Ho sentito che il capo vuole vederti. Era tutto raggiante, sai?» fece la Silvy scuotendo il polso carico di braccialetti tintinnanti. «Mi sa che abbiamo per le mani qualcosa di davvero grosso.»

«Almeno tu sai dirmi qualcosa di più?»

«In realtà no, purtroppo. Spero solo non si tratti di qualcosa sul "Family Day"» disse calcando le ultime parole, in modo che Rossella la sentisse.

«Ah, non credo. Non ce la vedo "X-Style" a farsi portavoce di quelle cazzate... e poi mi sembra un po' banale come argomento. Ne hanno già parlato tutti. Piuttosto...» disse Ulisse indicando il monitor della ragazza «qui qualcuno sta prenotando le vacanze, vedo.»

«Sì, quest'anno sono riuscita ad avere tre settimane di fila ad agosto, mi sembra un sogno.»

«E dove andrai di bello?»

«Indovina!»

«Mmm... Namibia? In mezzo ai leoni e alle zebre?»

«Ma no, a parte che non credo che in Namibia ci siano né leoni né zebre, quest'estate sono single, e mi voglio *divertire*.»

Rossella, al suo fianco, aveva preso a canticchiare, come se cercasse di isolarsi per non essere costretta a sentire quei racconti peccaminosi.

«E quindi dove hai deciso di andare?»

In quel momento Monica si materializzò di fianco a loro.

Stranamente non portava tacchi vertiginosi, pensò Ulisse lanciando uno sguardo in direzione dei suoi piedi.

«Ho male alla caviglia» disse lei, come per giustificarsi.

«Comunque, Riccobono vuole vederti.»

«Grazie, arrivo» disse lui, e poi rivolto alla Silvy: «Dopo passo a salutarti e finisci di raccontarmi, ok?».

Lei gli fece l'occhiolino e schioccò la lingua. «Mi trovi sempre qua... *purtroppo*» aggiunse piegando la testa verso la collega.

Ulisse si avviò verso l'ufficio della direzione, alla fine del corridoio che tagliava in due l'open space. Era l'unica stanza chiusa del piano, ma era come se fosse aperta: le telefonate del gran capo e le discussioni che avvenivano in quell'ufficio erano comodamente all'orecchio di tutti.

Monica lo precedette e bussò. «Dottor Riccobono, c'è il dottor Amedei.»

Monica era sempre *estremamente* formale quando si rivolgeva al direttore. Era l'unica, in realtà, a dargli del lei, ma forse così le avevano insegnato alla sua scuola per segretarie. E lei non sgarrava mai.

«Grazie, Monica.»

Ulisse entrò.

«Gualtiero!» esclamò a braccia aperte, andandogli incontro.

«Ulisse!» gli fece eco l'altro, alzandosi dalla sua immensa poltrona di pelle, e facendo segno di accomodarsi di fronte a lui.

Ulisse si sedette, appoggiò la giacca sul bracciolo e accavallò le gambe.

«Dimmi sinceramente cosa pensi del mio pezzo sui nuovi volti del cinema italiano. Troppo banale?»

«Ma no, Ulisse. Sei riuscito a far dire qualcosa d'intelligente a tutti quanti.»

«A volte è stato difficile, lo ammetto.»

Gualtiero Riccobono si fece improvvisamente serio. «Non c'è bisogno che ti dica quanto tu sia stimato qui a "X-Style", quanto *io* ti stimi, sia come giornalista che come persona.»

«Non lo dici solo perché ti presento sempre delle sventole da infarto?»

Riccobono spalancò gli occhi e gli fece segno di abbassare la voce, ma sotto sotto ridacchiava.

«No, lo dico perché lo penso veramente. E non sono l'unico. La tua fama è giunta anche all'estero, forse grazie al pezzo su Lady Gaga.»

«Che vuoi dire?» chiese Ulisse, a cui la parola «estero» aveva acceso una lampadina.

«È proprio per questo che ti ho chiamato oggi. Noi di "X-Style" abbiamo appena ottenuto un'esclusiva senza precedenti. E sarai tu a dovertene occupare: mi è stato fatto esplicitamente il tuo nome.»

Ulisse cominciava a fremere. «Dài, non farmi stare sulle spine: di cosa si tratta?»

«Un indizio te l'ho già dato: dovrai andare all'estero. Ma te ne do subito un altro: sai cos'è successo ieri a Roma, in piazza San Giovanni?»

Il giornalista corrugò la fronte.

«Cosa c'entro io con quella massa di omofobi? Sai che sono uomo di mondo e che ho decine di amici gay? Non potrei mai...»

Gualtiero lo fermò subito. «Allora non mi ascolti! Ti ho detto che dovrai andare all'estero. E sai che ormai è l'Italia l'unica nazione del mondo civilizzato la cui legislazione non riconosce il diritto del matrimonio – e parlo del *matrimonio*, quello vero! – per omosessuali, trans e compagnia bella.»

Ulisse continuava a non capire. Estero... Family Day...

Poi il suo viso si illuminò.

«Vedo che hai capito. Ulisse, fai le valigie, e non dimenticarti il costume e la crema solare, perché la prossima settimana tu parti per la Grecia.»

2

Capitolo indaco

Ulisse restò imbambolato per non so quanto tempo sulla poltrona di fronte alla scrivania di Gualtiero Riccobono, sulla quale, come su quella di ogni direttore che si rispetti, erano posizionate le foto di sua moglie e dei suoi figli, in cornici argentate. Mancava quella dove baciava la mano al Papa come ogni uomo di potere che si rispetti.

Il direttore gli stava spiegando che il nuovo governo greco aveva accettato per la prima volta la richiesta di un'intervista da parte di un giornale italiano in occasione delle celebrazioni per la festa nazionale, il 28 giugno, in concomitanza con quella che nel resto del mondo chiamavano ancora la giornata dell'orgoglio Lgbt.

Molte cose erano cambiate, in quegli anni, in Grecia. Da nazione perennemente in crisi, e alle prese con un debito pubblico insostenibile, era diventata – passando per un disastroso default che avevo rischiato di far cadere nel baratro il resto dei Paesi dell'Unione Europea – una nazione alla moda, meta di turismo internazionale, e soprattutto florida.

Tutto questo era successo grazie a quella che gli osservatori internazionali avevano definito la Pink Economy.

Dopo il default la Grecia era caduta vittima di gravissimi disordini pubblici, e Atene era stata messa a ferro e fuoco. La disoccupazione aveva toccato vette inimmaginabili, e la gente, ridotta alla fame, aveva reagito con la violenza. Il governo era crollato, e alle successive elezioni politiche il partito antieuropeista aveva sbaragliato qualsiasi concorrenza, affermandosi con il 65 per cento dei voti: un plebiscito storico come mai era successo.

La nazione era così uscita dall'Euro, ma intanto molti capitali erano stati portati fuori dai confini, e l'economia era ridotta allo stremo, così come la popolazione, che in grandissima parte era emigrata all'estero, in un esodo tanto impressionante da essere già stato immortalato ben due volte al cinema: in un film polacco impegnato presentato alla Berlinale, e in un kolossal 3D statunitense di poco successo.

Come se non bastasse, anche il nuovo governo non era durato a lungo, dando vita a una crisi politica che sembrava senza via d'uscita.

Impossibilitata ormai anche a chiedere aiuto all'Europa, nella noncuranza delle altre grandi potenze, spaventate dalla sua continua instabilità politica, la Grecia – quella che era stata la culla dell'umanità, la terra che aveva dato i natali alla filosofia e all'arte classica, e la cui mitologia aveva ispirato il nome all'Europa –, ecco, quella Grecia stava sprofondando negli abissi più neri.

Fu proprio in quel momento che alcuni imprenditori gay cominciarono a mettere gli occhi sulla derelitta Grecia, ormai snobbata e abbandonata da tutti.

I primi furono un gruppetto di italiani, la cui storia era già avvolta nel manto del mito: quattro gay e due lesbiche provenienti da ogni angolo della penisola che una sera, con un gin tonic fra le mani, si stavano divertendo come liceali. A un certo punto uno di loro era saltato sulla sedia e aveva proposto: «Perché non apriamo uno stabilimento balneare in Grecia? Un lido gay. Lo compriamo a prezzi stracciati, e facciamo concorrenza a quel che è rimasto di Mykonos: è questo il momento. Applichiamo tariffe supereconomiche, e poi vediamo come va. Secondo me nel giro di qualche anno facciamo i soldi».

L'alcol, che circolava abbondantemente nel loro corpo,

aveva fatto il resto. E nella settimana seguente i sei avevano messo insieme una società. Di lì a un anno il Rainbow Beach – che comprendeva un albergo, uno stabilimento balneare con spiaggia privata, e un ristorante vista mare – era aperto. Tra di loro c'era anche un drogato di social network, che impazzava su Facebook, Twitter, Instagram, oltre che su ogni sito di incontri gay possibile e immaginabile. E la notizia dell'apertura del Rainbow Beach aveva fatto il giro della rete, e quindi il giro del mondo.

Quell'anno, la stagione fu un successo già di suo, viste le prenotazioni e gli incassi, ma l'attenzione mediatica sul Rainbow Beach e su quel gruppetto di italiani era stata straordinaria.

Tranne in Italia. Seppure «X-Style» vi avesse dedicato un pezzo, gli altri giornali – generalmente più filogovernativi e filocattolici – non se l'erano sentita di premiare queste eccellenze italiane. E i più, in giro per i bar o perfino in qualche fuori onda televisivo, li chiamavano «quelle lesbiche e quei froci» che se ne erano andati in Grecia.

Fra i clienti del lido, quindi, c'erano parecchi stranieri, provenienti da tutto il mondo. E fra questi anche altri imprenditori gay illuminati, che fra un bagno al mare e un incontro piccante si erano lasciati stuzzicare dall'idea di seguire la strada di quei sei italiani e di investire anche loro in quello che era ormai considerato il cadavere di un'economia.

«Una vera e propria fuga di cervelli» disse Ulisse.

«Più che altro una fuga di capitali» lo corresse Riccobono, «che per l'Italia non è mai una buona cosa, data la situazione stagnante in cui stiamo da decenni... Visto che poi molti si sono mossi come loro. Sapevi dell'esistenza di un'associazione, in Italia e in tutto il mondo, che raccoglie gli imprenditori, i dirigenti, gli Ad e gli influencer gay?»

«No. Dici sul serio? È quella lobby gay di cui si parla...?» rise Ulisse.

«Loro in effetti si definiscono così. Si chiamano Edge, excellence & diversity by Lgbt executives. Quanto potere abbiano qui in Italia, non so... non credo molto, visto il clima omofobo. Ma sono stati determinanti per spostare risorse e capitali nella nuova Grecia.»

Ecco, la Pink Economy era nata così, prima fondata semplicemente sul turismo, poi alimentata anche da un esodo al contrario. Tantissimi erano stati infatti i gay di ogni nazione che avevano eletto la Grecia a loro patria di elezione, per poter essere «liberi di essere in un libero mercato» – questo lo slogan utilizzato –, e numerosi anche gli esuli che, provenendo da nazioni dove anche il solo parlare di omosessualità era considerato reato, come la vicina Russia, vi avevano trovato una terra accogliente e sicura.

La Grecia – un po' confermando quanto si dice sul binomio gay e potere d'acquisto – era così risorta.

Ed era arrivato il momento anche per una svolta politica. Tutti i partiti tradizionali si erano ormai sciolti, così quando si riandò alle elezioni, a trionfare furono i partiti creati dai pochi greci autoctoni rimasti insieme ai nuovi arrivati.

A vincere era stato Orgoglio, un grande partito Lgbt che si ispirava al concetto di felicità, così come intesa da Platone, ovvero come ricerca del Bene e del Bello. Il suo leader, Gregorius Zena, era diventato il nuovo primo ministro, e a pochi mesi dal suo insediamento il Parlamento aveva anche eletto un nuovo presidente della Repubblica, Costantino Dukas. Entrambi gay, entrambi con il desiderio di far sì che la Grecia tornasse a essere la perla del Mediterraneo.

Ecco, incredibilmente era nata la prima repubblica gay del mondo.

«Finalmente un italiano avrà l'onore di intervistarli. E quell'italiano, caro mio, sei proprio tu!» disse Gualtiero Riccobono, che nel frattempo si era acceso un sigaro e fumava ad ampie boccate, dopo aver spiegato brevemente a Ulisse il suo viaggio: si sarebbe fermato alcuni giorni, durante i quali avrebbe avuto l'occasione di raccontare, attraverso il sito di «X-Style» e uno speciale sulla rivista, cosa davvero ne era della Grecia adesso.

«Quindi come Israele è per gli ebrei, la Grecia è per i gay

e le lesbiche?» ipotizzò Ulisse, che già pensava a passaggi «impegnati» da mettere nei suoi articoli.

«Per certi versi c'è stato un esodo al contrario, sì, ma non scherzerei con la storia di Israele» disse Riccobono. «Comunque, vedrai, in Grecia ci sono leggi contro l'omofobia molto dure, e l'espatrio è all'ordine del giorno, per chi non rispetta la diversità e la sua ricchezza. Anche per ottenere il visto è necessario firmare una dichiarazione, diciamo, di gay-friendlytudine. E così anche i Paesi che vogliono trattare commercialmente con la Grecia: possono farlo solo quelli con una legislazione attenta e rispettosa nei confronti dei gay.»

«E quindi l'Italia?»

«Ecco, hai capito. E non sai che perdita per la nostra economia... Qualche anno fa la Camera di Commercio Gay Americana pubblicò uno studio...»

«Un momento» lo interruppe Ulisse. «Esiste una Camera di Commercio *gay*?»

«Sì, la National Gay & Lesbian Chamber of Commerce. Secondo lo studio che ti dicevo, l'Italia dovrebbe guardare con molta attenzione al turismo gay... pensa che l'83 per cento della popolazione statunitense gay ha il passaporto, contro il 34 per cento della media nazionale etero. E i gay viaggiano, e spendono...»

«Sì, questo l'ho sempre sentito dire, anche se pensavo si trattasse più di un luogo comune.»

«Eh... e invece no, ci sono dati che lo testimoniano. Ricordi le dichiarazioni di quel sindaco di Venezia a proposito dei gay e dei libri a tematica "gender" nelle scuole?»

«Sì, certo.» Ulisse rifletté. «E poi ci lamentiamo se il turismo è in calo...»

«Ecco, appunto! Comunque, tornando a noi e al tuo reportage, una guida scelta dal governo, che parla italiano, così come altre cinque o sei lingue, mi ha detto che conosce lo stile dei tuoi pezzi.» L'espressione di Riccobono si fece di colpo grave. «Ulisse, lo sai che è un'occasione di quelle che non capitano mai, vero?»

Sì, lo sapeva. Dalla nuova Grecia leader nel turismo internazionale l'Italia era considerata un Paese retrogrado, omofobo, corrotto e poco ospitale. Tutte cose difficilmente contestabili, pensò Ulisse: era sufficiente aprire un qualsivoglia quotidiano per leggere di arresti per corruzione, disastri ambientali e, seppure in trafiletti di poche righe, di aggressioni ai danni di omosessuali. Tutto questo mentre eserciti di ottusi riempivano le piazze restando in piedi a leggere testi sacri o libri intrisi di odio, parlando di inesistenti teorie «gender» e di rischio per i loro bambini, fotografati – proprio durante manifestazioni come il Family Day – a sfilare con in mano la bandiera di movimenti di estrema destra. Tutto questo chiaramente con la benedizione, è proprio il caso di dirlo, del Vaticano, nonostante sia considerato da molti la più grande sede di un'associazione omosessuale del mondo.

L'oscurantismo dilagava in Italia. Se per caso un insegnante si permetteva di far leggere il passaggio di un libro contenente una scena dai risvolti omoerotici, si gridava allo scandalo e si tirava in mezzo il ministero della Pubblica Istruzione. Forse, un giorno, i programmi scolastici sarebbero stati rivisti, e sarebbero stati eliminati geni del calibro di Paul Verlaine, Arthur Rimbaud e Michelangelo... Sembrava fantascienza ma la storia della Grecia suggeriva che tutto era possibile, specie in un Paese, come l'Italia, in cui l'ombra del Cupolone di San Pietro era sempre fin troppo ingombrante.

Non c'era da stupirsi, allora, che il nuovo governo greco, che oltretutto non aveva rapporti diplomatici con l'Italia, preferisse non dare in pasto alla sua stampa le parole dei due uomini che stavano guidando la nazione verso un futuro sicuramente più radioso di quello del Bel Paese.

«Se ce la giochiamo male, Ulisse, è un gran casino, ma, lo sai, mi fido di te...» Un'ombra di incertezza passò sulla sua voce. «Perché io mi posso fidare, vero?»

Ulisse era ancora imbambolato, incapace di rispondere. Quella era l'occasione della sua vita. Forse dopo gli si sarebbero aperte, come sperava da tempo, le porte della televisione e qualche emittente importante gli avrebbe affidato un talk show. Era da un po' che stava elaborando un format: le sue numerose conoscenze mondane avrebbero fatto il resto, ma prima aveva bisogno di una spintarella giusta verso la popolarità.

E quella spintarella stava finalmente arrivando.

«Sì. Certo che puoi contare su di me!» rispose Ulisse, ridestandosi dal suo stato di trance.

«Con questo reportage» aggiunse Gualtiero, dando un'altra boccata al suo sigaro «voglio far entrare "X-Style" nella storia, voglio dare una spallata alla vecchia informazione e, se possibile, cambiare anche la storia dei diritti in Italia.»

Ulisse inclinò la testa, perplesso. «Ehi, da quando in qua mi sei diventato un paladino dei diritti dei gay? Non è che ultimamente hai avuto qualche pensierino strano...?»

Gualtiero lo guardò di sbieco. «Che dici?» esclamò con voce tonante. «Lo sai che mi piace sempre la...»

«Figa!» si sentì dire oltre la porta: una voce di donna – quella della Silvy, non c'era dubbio – a cui seguì una salva di risatine in tutto l'open space.

Riccobono, paonazzo in viso, si alzò di scatto dalla poltrona e spalancò la porta del suo ufficio. «Allora, si ascoltano le conversazioni private, qui, invece di lavorare?!»

Solo Monica, come Ulisse vide attraverso la porta aperta, era seduta alla sua scrivania in fondo al corridoio, impeccabile come sempre. E dire che quando era fra le lenzuola, invece, si trasformava in una belva parecchio irriverente...

Di nuovo soli nell'ufficio, Riccobono riprese a spiegare a Ulisse i dettagli di quella che battezzò «Operazione Grecia».

«Non partirai da solo.»

«Come?» si incupì Ulisse all'idea di dover condividere con qualcun altro la gloria che tutto questo gli avrebbe procurato.

«Tranquillo, l'unica firma sarai tu. Tu, tu e nient'altri che *tu*. Ma dovrai pure essere accompagnato da un fotografo, no?»

Ulisse tirò un sospiro di sollievo. «E di chi si tratta?»

«Manuel Rossi.»

«Quel frocetto?»

Riccobono sollevò il dito indice in segno di rimprovero. «Spero che non ti scappi nulla del genere quando ti troverai in Grecia. Non vorrei che ti espellessero, scatenando un caso internazionale!»

«Che esagerazione...»

«Esagerazione o meno, quello è anche il luogo dove molti si sono rifugiati proprio per non sentirsi più chiamare in quel modo. Comunque, rispondendo alla tua domanda, sì, è proprio lui. E penso che laggiù si divertirà molto più di te...» disse sorridendo.

Entrambi esplosero in una risata fragorosa.

C'era solo da sperare che Manuel non si trovasse da quelle parti in quel momento altrimenti, complici le sottilissime pareti dell'ufficio di Riccobono, avrebbe sentito tutto.

A parte gli scherzi, però, Ulisse non aveva ancora pensato a quel particolare. In Grecia probabilmente non avrebbe trovato molte ragazze con cui divertirsi.

Forse gli conveniva fare il pieno prima di partire.

C'era ancora Stefania, era appena tornata da un viaggio in Sicilia. E magari anche Monica, la segretaria: era da tanto che non si faceva un giretto con lei. Poi c'era sempre sua moglie che, se pure non era in cima alla lista dei suoi desideri sessuali praticamente dal giorno del matrimonio, gli sapeva ancora regalare dei momenti di grande complicità. Se l'aveva sposata, dopotutto, un motivo ci doveva pur essere.

Gualtiero Riccobono lo riportò alla realtà con ulteriori dettagli dell'«Operazione Grecia»: «Vi ho già prenotato il volo. Viaggerete con la Rainbow Airline: partenza da Milano Malpensa e arrivo ad Atene Maria Callas».

«Rainbow Airline?! Maria Callas?!»

«Mi sa che ti tocca informarti un po' prima di partire. La Rainbow Airline è la compagnia aerea di bandiera, ha sostituito la Olympic Air, fallita durante il default. E il Maria Callas è il maggiore aeroporto di Atene.»

«Ecco per cosa sta la sigla MC che vedevo nella schermata di prenotazione dei voli... ma perché questo nome?» Gualtiero diede una profonda boccata dal sigaro. «Comincio a dubitare che tu sia la persona giusta. Dài, Ulisse, non lo sai che la Callas è un'icona gay, anzi, un'icona gay *sacra*? L'hanno messa addirittura sulla copertina del nuovo passaporto.»

Ulisse sorrise. «Ripasserò» disse soltanto. «Ma quel pezzo resta mio: chiunque oserà avvicinarsi alla mia esclusiva dovrà passare sul mio cadavere. Gualtiero, puoi fidarti, questo sarà il reportage che neppure "X-Style" ha mai avuto, una pietra miliare nella storia del giornalismo, un capolavoro di...»

«Basta, basta, ho capito. E comunque sono loro che hanno fatto il tuo nome come giornalista gradito, quindi non ho scelta. Per tutto il resto, mi fido della tua intelligenza e di quel poco di sensibilità che hai, perché so che quel poco che hai lo usi solo e soltanto nel tuo lavoro.»

Ulisse rise. Forse Riccobono lo conosceva meglio di chiunque altro.

Si congedarono e, dirigendosi verso l'uscita, Ulisse si rese conto per la prima volta di quello che gli stava per succedere. Era un'occasione unica. Un'occasione mostruosa. Si sentiva già camminare a qualche centimetro da terra, come sollevato da un palloncino, anzi da un grappolo di palloncini di tutti i colori che formavano la bandiera arcobaleno.

Poi un pensiero si materializzò nella sua mente e fu come se un ragazzino dispettoso gli avesse fatto esplodere i palloncini con una cerbottana.

Quel servizio poteva anche rivelarsi un'arma a doppio taglio. In un'Italia così perbenista e sempre spaventata dal dire la cosa sbagliata – e per «sbagliata» si intendeva non gradita alle lobby clericali – essere la firma di un servizio del genere gli avrebbe chiuso un sacco di porte.

L'apparenza confezionata per il popolino, innanzitutto. Era questa la prima regola.

D'altronde non era così anche nella politica? La giovane

e ruspante leader di un partito di destra partecipava alle nozze gay di un amico commercialista, ma poi davanti alle telecamere si scagliava contro qualsivoglia passo avanti in materia di diritti – anche perché, a dir suo, i matrimoni gay erano un costo troppo elevato per la comunità, come se i gay non pagassero le tasse! E che dire di tutta quella schiera di ex DC che si facevano paladini della famiglia tradizionale ma che poi avevano uno, due, addirittura tre matrimoni falliti alle spalle, alcuni dei quali annullati scomodando addirittura la Sacra Rota?

Allo stesso tempo, però, pensò Ulisse – mentre i palloncini cominciavano a riformarsi sopra di lui e a sollevarlo leggermente dalla moquette dell'open space –, gli avrebbe aperto altre porte. In fondo non tutte le televisioni erano Rai e Mediaset, specialmente da quando si era aperta l'epoca del digitale terrestre. Sì, si disse fiducioso, il suo reportage sarebbe stato un successo, e lui si sarebbe goduto tutta la gloria che ne sarebbe derivata.

«Allora, ho sentito che andrai in Grecia!» gli disse la Silvy cingendolo da dietro.

Ulisse, che era completamente assorbito nei suoi pensieri, fece un sobbalzo.

«Certo che qui si sente davvero tutto...»

La Silvy ridacchiò. «Al tuo ritorno dovrai darmi un sacco di consigli allora!»

«... Perché?»

«Ma come perché? Anche io andrò in Grecia: è quella la meta delle mie vacanze estive.»

Ulisse corrugò le sopracciglia. «Ma non doveva essere una vacanza *divertente* per una ragazza appena tornata *single*?»

«Infatti!» rispose La Silvy entusiasta.

Lui la guardò ancora più dubbioso. «Ascoltami...» le disse mettendole le mani su entrambe le spalle «non so se lo sai. La Grecia ora ha una popolazione gay: gi, a, ipsilon, GAY! Cosa speri di trovarci? Oppure mi sono perso qualcosa e nel frattempo mi sei diventata lesbica...?»

La ragazza fece un sospirone di compatimento. «Ulisse,

sei tu che non capisci un accidente! I gay hanno amiche, ma anche amici, amici *eterosessuali*.»

«Sì» ammise lui, «anche io ho qualche amico gay, ma...»

«... Ma non sei mai andato in un locale gay con loro.»

«Eh sì» rispose Ulisse come se fosse la cosa più naturale del mondo.

«Sei antico, Amedei, lasciatelo dire. Antico e *vecchio*! E neanche troppo furbo... Per un eterosessuale non c'è posto migliore di una festa gay per rimorchiare. Noi donne amiamo i gay e ci divertiamo un mondo con loro, ma poi, se ci capita l'occasione giusta, mica ci tiriamo indietro. E gli eterosessuali stanno cominciando a capirlo, anche se dal mondo gay a volte c'è un po' di resistenza. È un processo chiamato "eterosessualizzazione dei locali gay".»

«Parli sul serio?»

«Così dice il mio amico Mattia.»

Mattia era passato qualche volta in pausa pranzo a trovare la Silvy. Era pelato, con un filo di barba, e aveva una collezione di scarpe che definire «bizzarre» era poco. Un paio avevano addirittura le ali ai lati delle caviglie. Parlava sempre di gossip e di video, immagini e canzoni trash che trovava sulla rete. Che «eterosessualizzazione dei locali gay» potesse essere soltanto una sua invenzione non lo stupiva poi così tanto.

«Be', se lo dice Mattia...»

«Se vuoi ti lascio il suo numero, così ti dà una bella infarinatura di cosa sia il mondo gay *reale*.»

«No, grazie. A parte il fatto che credo che il mondo gay *reale* non sia tutto composto di individui come lui, ho già in mente una persona a cui potrei chiedere una mano.»

Sonia, quella sera, aveva infatti invitato a cena Marco, il suo migliore amico. Gay, come gay erano quasi tutti gli amici di sua moglie.

3

Capitolo senape

Per poco Marco non era svenuto quando aveva scoperto che Ulisse – che lui considerava, senza averglielo mai nascosto, un presuntuoso maschilista – avrebbe intervistato nientemeno che Gregorius Zena e Costantino Dukas.

Per lui – cinquantasettenne dall'aspetto curatissimo, con un vistoso paio di occhiali dalla montatura verde acqua – i due leader greci erano un mito, così come era un mito la Grecia nata all'indomani del default. E da tempo sognava di riuscire a mollare tutto – lavoro, madre ricoverata in istituto e padre che, all'età di ottant'anni, aveva ripreso a fare il donnaiolo con ogni badante gli capitasse a tiro – per potersi trasferire lì. «Chissà, potrei avere lo stesso successo del Rainbow Beach. Sapete?» aveva detto in più di un'occasione. «È diventato una sorta di mecca per i gay di tutto il mondo! Non è solo una spiaggia ma un simbolo, l'inizio di un cambiamento epocale, la goccia – di Chanel – che ha fatto traboccare un vaso stracolmo d'odio!»

«Mi sa che sei arrivato troppo tardi» gli rispondeva caustico Ulisse, che si divertiva un mondo a punzecchiarlo, almeno quanto Marco si divertiva a punzecchiare lui.

Quando Sonia entrò nella sala da pranzo con la prima portata per la cena – per l'occasione, una pasta alla greca, con pomodorini, feta, cipolla e olive – Marco era ancora seduto sul divano, il bacino allungato in avanti.

«Non ci posso credere... Non ci posso credere...» continuava a ripetere.

«Non puoi credere a che cosa?» gli chiese Sonia guardando però il marito, alla finestra a fumare gli ultimi tiri di una sigaretta.

«Che sia Ulisse a intervistare il presidente e il primo ministro della Grecia. È la persona meno indicata sulla faccia della Terra...»

«Se vuoi proprio saperlo» puntualizzò Ulisse pregustando la faccia che ora avrebbe fatto l'amico della moglie, «è stato l'ufficio stampa del governo a chiedere in maniera esplicita di me. Il mio stile, evidentemente, piace. *Anche ai gay che contano...*» E schiacciò il mozzicone nel posacenere, mentre Sonia cominciava a versare la pasta nei piatti.

Per qualche secondo, Marco rimase come paralizzato, incapace di controbattere. Poi disse: «È perché non ti conoscono di persona... altrimenti, te lo posso assicurare, addio esclusiva!». E si mise a sedere.

Davanti alla cucina di Sonia – che, oltre a essere una donna elegante e bellissima, e una professionista di successo in ambito editoriale, sapeva anche cucinare molto bene – parve rianimarsi all'istante.

«E vabbè» disse, «mi arrendo al fatto che proprio tu diventerai in qualche modo il paladino dei diritti gay in Italia... spero almeno che se per caso avrai la possibilità di portare una persona a una cena di gala ti ricorderai di me.»

Ulisse sollevò una forchettata di pasta fino alle labbra. «Buon appetito!» disse, e poi: «Sonia, è buonissima. Venendo a noi, invece» si rivolse a Marco, «scordatelo!».

Marco fece un grugnito, quindi si concentrò sulla pasta, immusonito.

«Non fate i bambini» cercò di ammansirli Sonia. «E comunque, Marco, credo proprio che quella persona dovrei essere io. Dopotutto sono la moglie, no?»

L'amico lasciò cadere la forchetta nel piatto. «Ma voi non capite cosa significa per me, per tutti i gay della mia età, la nascita di questa nuova Grecia. In Italia per strada ancora ci chiamano froci e ci vorrebbero menare.»

«Scommetto però che a te non è mai successo...» disse Ulisse.

«E con ciò? Conosco tanti che sono stati menati, veri e propri atti di bullismo, cazzo!»

«Non ti scaldare. Lo so, lo so. Ma sai anche che mi piace prenderti in giro. E in fondo – ma proprio in fondo – ti voglio pure bene» fece Ulisse dandogli un buffetto sulla guancia sinistra, sopra la barba spruzzata d'argento che Marco curava alla perfezione.

Sonia li osservava sorridendo, come una madre che guarda i figli litigare e poi subito dopo fare pace.

«Il fatto che questo stato gay-friendly sia nato proprio in Grecia, poi» riprese Marco dopo un momento di silenzio, «è molto significativo, se vai a vedere la storia.»

«Bravo! Spiegaglielo, a quel caprone di mio marito!» intervenne Sonia, con ancora la bocca mezza piena.

«Ma come? non conosci il mito dell'androgino di Platone? O... ti dice niente Saffo?»

A Ulisse, Saffo richiamava alla mente alcuni video che aveva visto su YouPorn e su cui aveva fantasticato decine di volte: una fantasia che, però, non era ancora riuscito a realizzare. Chissà se in Grecia ce l'avrebbe fatta... il problema è che – e questo glielo avevano detto in molti – le lesbiche *vere* mai e poi mai sarebbero andate a letto con un uomo, e anche fisicamente, in generale, non erano proprio il suo tipo.

«Per non parlare di quelle che si chiamano pitture vascolari...» continuò Marco «insomma, se l'amore omosessuale si chiama "amor greco" un motivo ci sarà.»

«Quindi potevi andare a letto con chiunque! Valeva tutto?»

«Mamma mia, Sonia, che ignorante tuo marito...» disse Marco girandosi verso l'amica. «Certo che no! C'erano delle regole.»

«In che senso?» chiese Ulisse.

«Uff! Vabbè, ti spiego. I ragazzi, tra i dodici e i diciassette anni, non erano ancora considerati "uomini".»

«... Ma "donne"?» lo interruppe Ulisse.

«Soniaaa!» disse Marco. «Gli dici qualcosa?»

«Eh... ci vuole pazienza, Marco. E tu Ulisse, fallo finire.»

«Dicevo... i ragazzi non erano considerati "uomini", neanche dal punto di vista politico intendo, ed erano equiparati alle donne. Quindi gli uomini potevano, be'... scoparli. Ma attenzione, solo da attivi.»

«Ah, il discorso comincia a farsi interessante...» fece Ulisse ironico.

«E questo» continuò Marco facendo finta di non aver sentito «avveniva soltanto alla fine di un lungo corteggiamento: l'uomo doveva dimostrare che il suo interesse per i *paìdes*, i giovani, fosse autentico e non solo desiderio fisico. Ma comunque, quando raggiungevano la maturità, ai ragazzi era proibito avere rapporti omosessuali nel ruolo di passivo. Dovevano a loro volta diventare attivi.»

«Per te sarebbe stata una tragedia, immagino...» commentò Ulisse ridendo.

«Banale, quanto sei banale...»

«Eh, io porto via i piatti...» sospirò Sonia, alzandosi da tavola.

Per secondo c'era del pollo al curry e zenzero, uno di quei piatti che ormai poteva preparare anche a occhi chiusi, tante erano le volte che lo aveva proposto. E che, comunque, era sempre un piacere mangiare.

«Niente di greco?» chiese Ulisse, che sapeva quanto la moglie odiasse che le si facessero le pulci sulla sua cucina.

Sonia lo fulminò con gli occhi. «Ti ricordo che sono uscita dalla redazione alle sette e mezzo. Oggi c'era la riunione con i traduttori che abbiamo scelto per il nuovo libro di JT Johnson.»

«Come *i* traduttori?»

«Eh sì, si tratta di seicento pagine e abbiamo a disposizione dieci giorni di tempo. Motivo per il quale abbiamo radunato sei traduttori. Ognuno di loro tradurrà cento pagine a testa... È uno stress incredibile, specie se penso a quale sarà la tiratura. Se qualcosa va storto io ci rimetto il posto.»

«Non ti preoccupare, amore. Dopo questo articolo mi daranno una trasmissione televisiva e tu potrai rimanere a casa a leggere, cucinare, prendere il tè con le amiche...»

«Wow, come in una soap opera... non mi sembra tutto questo divertimento... amo il mio lavoro, lo sai.»

In quel «lo sai» c'era il vuoto più grosso del loro rapporto.

Quel figlio che per anni lui non aveva voluto e che anche lei, concentrata sul suo lavoro, aveva messo da parte persino come idea. Poi, quando finalmente si erano entrambi decisi, non era più arrivato. E adesso, ormai, era troppo tardi.

Niente figli, niente nipoti. E neppure niente animali domestici, visto che un cane era fuori discussione – chi avrebbe avuto il tempo di portarlo a fare i propri bisogni due-tre volte al giorno? – e Ulisse era allergico al pelo di gatto.

A fine cena – dopo aver parlato anche delle novità in ambito lavorativo di Marco, il quale aveva annunciato che presto avrebbe aperto un nuovo studio di odontotecnica – si accomodarono tutti sul divano. Sopra il tavolino basso di fronte a loro Sonia aveva preparato un vassoio con dell'Amaro del Capo e tre bicchierini. «Servitevi pure!»

«Ti hanno già detto quando partirai?» chiese Marco, tornando al discorso che lo incuriosiva di più.

«Il 25 giugno. Perché poi il 28...»

«È la giornata dell'orgoglio Lgbt» finì la frase l'altro. «Accidenti! Non oso pensare a come sarà la sfilata del Pride... Qui a Milano negli ultimi anni è decisamente migliorata, ma immagino che lì sia tutta un'altra cosa. Magari è persino più spettacolare e divertente di quella di San Paolo!...» Sembrava un bambino che sognava a occhi aperti.

«Perché non vai anche tu?» intervenne Sonia.

«Amica... con lo studio appena avviato? È come se a te proponessero di andare in vacanza a tre giorni dalla chiusura del libro di un autore di punta.»

Al solo pensiero, Sonia rabbrividì.

«Vedo che hai capito. Mi accontenterò del corteo di Milano, anche perché mi hanno detto che alla sera c'è una festa niente male.»

«Un modo per divertirti lo trovi sempre tu» disse Sonia con un velo di malinconia.

In quei momenti, quando vedeva la moglie – una donna così distinta, bella, in gamba – incupirsi in quel modo, Ulisse pensava che avrebbe potuto essere un marito migliore. E non per i suoi continui tradimenti, che in fondo contavano poco e non intaccavano il sentimento che provava per lei, ma perché avrebbe voluto essere in grado di aiutarla a rilassarsi di più, a dimenticare il lavoro e a godere del momento. Chissà, si ritrovava spesso a pensare, se un figlio avrebbe cambiato le cose. Chissà se avrebbe spostato le priorità, chissà se sarebbero state delle persone diverse. Magari migliori. Chissà.

Quando Marco – leggermente brillo – se ne fu andato per raggiungere alcuni amici in un pub in zona Porta Venezia, Ulisse e Sonia andarono a letto.

Mentre sopra di loro il ventilatore da soffitto cercava di rinfrescare una delle prime calde serate della stagione, lui la prese fra le braccia e le accarezzò dolcemente la testa.

«Che c'è?» chiese lei.

«Nulla» disse lui baciandola sulla fronte. «Stavo solo pensando che in Grecia mi mancherai.»

Lei fece un risolino. «Che scemo che sei.»

E si addormentarono così, abbracciati, i loro respiri che si accarezzarono per tutta la notte.

4

Capitolo rosa

Quella mattina – 25 giugno, la mattina della partenza – era un lunedì. Il giorno meno adatto per non rischiare di arrivare tardi all'aeroporto.

Il lunedì di suo è sempre *manic*, frenetico, cantavano le Bangles in una canzone di quando era giovane lui. E Ulisse era anche piuttosto nervoso perché, contrariamente ai suoi programmi, non era riuscito a vedere nessuna delle sue fiamme in quei giorni. Stefania si era negata, dicendo che nel weekend era fuori città. Monica era stata un po' evasiva nelle risposte, ma lui aveva avuto l'impressione che stesse frequentando già qualcuno – e anche Beatrice, la direttrice di banca, all'ultimo gli aveva dato forfait.

Quindi non si era svegliato nel migliore dei modi, specialmente perché temeva – e nei giorni precedenti quel pensiero era stato un tarlo – che in Grecia avrebbe fatto di tutto fuorché stare con una donna.

Ma quella mattina anche il fato ci mise il suo zampino per complicare le cose.

Dopo aver fatto colazione con estrema calma – tutto, infatti, era già pronto dalla sera prima, anche grazie alla pazienza di Sonia – Ulisse si vestì, sempre con grande flemma, e alla fine prese il trolley.

Non appena lo sollevò dal pavimento, l'intero contenuto si rovesciò per terra. Camicie, pantaloni, calzini corti e lunghi, boxer, cinture, il beauty – ebbene sì, aveva anche lui un beauty –, la custodia del laptop...

Per una manciata di secondi, rimase a fissare la massa informe del suo bagaglio scaraventata per terra, incredulo. «Non avevi chiuso la cerniera?» chiese Sonia, attirata dal trambusto.

«Ma sì che l'avevo chiusa!» quasi strillò Ulisse, poi guardando meglio il trolley si accorse che la cerniera era rotta. «Ecco la colpevole! cazzo!» esclamò. «E ora come faccio?» Sollevò gli occhi sulla moglie. «Abbiamo alternative, vero?»

«Certo. Ma sono valigie classiche... non è che poi ti viene il mal di schiena. Alla tua età...»

Ulisse la trafisse con lo sguardo. In fondo, però, la moglie non aveva tutti i torti. Stava portando con sé tutte cose leggere, se prese una per volta, ma nell'insieme si trattava di un peso più che discreto.

«Se preferisci, ti do il mio trolley» propose lei.

Ulisse ci pensò su soltanto un attimo. «Sì, direi che è meglio, grazie. Ti dispiace rifarmi tu il bagaglio, tesoro? Devo ancora bere il secondo caffè e lavarmi i denti.»

«Ok. Però datti una mossa, eh!»

Quando Ulisse fu di ritorno, non poteva credere ai suoi occhi. E si diede dello scemo per non esserselo ricordato: il trolley della moglie era rosa, e non un rosa pelle, ma proprio un bel rosa confetto. Anzi, un rosa Barbie turista.

«Non te lo ricordavi? L'abbiamo preso insieme a quella valigeria vicino corso Vercelli...» mormorò Sonia, accorgendosi dello sguardo atterrito del marito.

Ulisse girò con uno scatto il polso per controllare l'orologio. Non c'era più tempo. E soprattutto non c'erano più trolley disponibili in casa Amedei.

«E va bene...» si arrese, la voce grave.

«Dài, in fondo vai in Grecia. Non potrà che renderti più simpatico...» cercò di prenderla sul ridere Sonia.

Ma lui, supermacho dentro, quella di avere un trolley

rosa per affrontare un viaggio di lavoro era un'eventualità che non aveva mai preso in considerazione.

«Su! Non è poi così tragico, tesoro. Vedrai, nessuno ci farà caso» gli disse Sonia, stampandogli un bacio di saluto sulle labbra.

«Bella valigia!» gli disse con un sorrisino il tassista sollevando il suo trolley da terra e sistemandolo nel portabagagli. «È di mia moglie» sottolineò Ulisse. «Mi porti a Malpensa. E cerchi di correre, se può. Sono in un ritardo mostruoso.» «Ai suoi ordini, capo.»

Il tassista era un uomo sui cinquanta, un paio di grossi baffi brizzolati e una pancia che faceva provincia, coperta da un camicione di lino.

Ulisse si accomodò sul sedile posteriore. La vettura schizzò subito a gran velocità: quell'uomo mangiava le rotonde, superava con agilità le altre macchine, non si curava troppo dei semafori rossi, né dei passanti che si affacciavano sulle strisce pedonali.

Poi, come alla fine di una corsa folle – ma che Ulisse apprezzò, visto che gli stava facendo recuperare il tempo perduto – si fermò, quasi inchiodando.

Davanti a loro una coda di macchine, ogni tanto un colpo di clacson che dava linfa al nervosismo serpeggiante tra le marmitte e i gas di scarico.

«Oh no, che succede?» chiese.

Il tassista si girò verso di lui. «Oh, niente, c'è un piccolo cantiere poco più avanti.»

«E da quando?»

«Da stamattina. Che ci vuole fare? Questa città è un cantiere unico...»

"Eh sì" pensò Ulisse, "e non esistono più le mezze stagioni."

«Le dispiace se accendo un po' di radio?»

«No, no, faccia pure...»

Il tassista non se lo fece ripetere due volte e si sintonizzò su un talk show radiofonico.

«Quando mio figlio mi ha detto cosa stava succedendo nella sua classe» raccontava una donna dall'accento veneto, «ci siamo subito rivolti al preside per segnalare l'accaduto.» «Ma ci dica nello specifico cosa veniva spiegato ai ragazzi» la incitò un uomo, evidentemente il conduttore. «Che come esistono gli eterosessuali, esistono anche gay, lesbiche, trans... tutte queste *tipologie*, insomma. E ciò veniva presentato quasi fosse... giusto una possibilità come un'altra. Non una perversione, mi spiego? Senza contare che gli studenti venivano lasciati soli nelle aule insieme a queste persone delle associazioni gay, o di genitori di figli gay – ora non ricordo –, senza neppure un professore che sorvegliasse.» La donna ebbe un'esitazione nella voce. «Trovo che sia qualcosa di semplicemente abominevole.»

«Sì, molte famiglie ci hanno segnalato che nelle scuole pubbliche c'è il pericolo, per i nostri ragazzi, di essere esposti a questo tipo di filosofia gender» le dava man forte il conduttore. «Per questo in trasmissione ho sempre un occhio di riguardo verso la problematica, che è uno dei più grandi pericoli che gravano sulla nostra società negli ultimi anni.»

Ulisse allungò l'occhio verso l'autoradio. Come immaginava: il tassista stava ascoltando Radio Maria. Fece un sospirone esasperato.

Un sospirone che il tassista colse al volo, equivocandolo: «Eh sì, è un vero schifo... Pensi che sabato prossimo sfileranno addirittura per le strade, tutti mezzi nudi, a fare le loro porcate alla luce del sole».

Lo aveva preso per un integralista cattolico, pensò Ulisse! Chissà cosa avrebbe detto se avesse saputo che stava per andare in Grecia, la patria dei gay, per visitare i luoghi simbolo della rinascita di quella nazione e intervistare le personalità più influenti, tra cui nientemeno che il presidente.

Non sapendo più come uscire da quella situazione – l'ultima cosa che voleva era intavolare una discussione con quel bifolco – fece la prima cosa che gli venne in mente: estrasse il telefono dalla tasca e finse di aver ricevuto una chiamata.

«Pronto? Oh ciao, Mariella. Sì, sto giusto per partire...

scusi» disse rivolto al tassista «potrebbe spegnere un secondo l'autoradio?»

E il pericolo, dopo aver improvvisato lì per lì una conversazione anche piuttosto articolata con l'inesistente Mariella – si era mai portato a letto una Mariella? gli venne da chiedersi –, era scongiurato.

Ma, sulla strada per Malpensa, mentre finalmente erano entrati in autostrada e la meta si avvicinava sempre di più, un piccolo senso di colpa fece capolino alla bocca del suo stomaco.

Perché era stato in silenzio di fronte alle affermazioni omofobe di quel tassista? Perché non aveva preso posizione? Probabilmente quell'uomo ragionava così perché nessuno lo aveva mai contraddetto e l'unica immagine che aveva dei gay era quella proposta dalle televisioni generaliste: travestiti e uomini muscolosi e mezzi nudi alla testa di un corteo colorato, seguiti però – e questo non lo si mostrava quasi mai – da centinaia e centinaia, migliaia, di persone proprio come tante. Cortei festosi comunque sempre pacifici e dove non era mai successo niente di violento!

Scese a Malpensa che mancavano quaranta minuti all'imbarco, e doveva ancora fare check in, passare i controlli e raggiungere il gate.

In quel momento gli arrivò un messaggio.

«Ehi, dove sei? Il check-in sta per chiudere. Segui la musica, ti aspetto qua :)»

Era Manuel Rossi, il fotografo che lo avrebbe accompagnato in quell'avventura.

«Segui la musica»? Che accidenti voleva dire?

Ma non aveva tempo di mettersi a risolvere gli indovinelli di Manuel. Pagò al tassista un conto salatissimo – quasi un centinaio di euro – e cominciò a correre.

Fra il trolley rotto, il trolley rosa di Sonia, il traffico cittadino, i deliri di Radio Maria, e ora la consapevolezza che fra qualche minuto si sarebbe anche ritrovato in un bagno di sudore, la settimana più importante della sua vita – poteva dirlo – non era cominciata nel migliore dei modi.

L'aeroporto era gremito di gente. Tutti sembravano correre nella direzione opposta alla sua, oppure fermarsi improvvisamente davanti a lui. Era come se l'universo gli remasse contro, impedendogli persino di arrivare davanti al tabellone delle partenze per vedere dove si tenesse il check-in.

Ma non ne ebbe bisogno perché, a un certo punto, udì distintamente una musica provenire proprio dall'area dei check-in. Ecco, a cosa si riferiva Manuel.

Corse in quella direzione, mentre la musica si sentiva sempre più nitidamente: *It's Raining Men*, nella versione cantata da Geri Halliwell.

A un certo punto, e ormai era già sudato, vide Manuel sventolare la mano.

Lo salutò anche lui con un cenno del capo e gli disse: «Eccomi!».

Ed eccolo, davanti ai suoi occhi, lo sportello del check-in Rainbow Airline.

Se tutti gli altri erano sobri, con addette in divisa, piega perfetta dei capelli e fare professionale, quello della Rainbow era, per l'appunto, arcobaleno. Ad accogliere i viaggiatori c'era un manipolo di ragazzi sorridenti in pantaloni bianchi e maglietta a righe – una divisa piuttosto particolare, pensò Ulisse.

Uno di questi, un biondino con un paio di occhi azzurrissimi, si rivolse a lui: «Il signor Amedei?».

«Sono io.»

«Bene, la aspettavamo. Mi dà un documento?»

«Oh, certo» fece Ulisse togliendosi dal naso gli occhiali da sole ed estraendo dalla tasca posteriore dei pantaloni il portadocumenti di cuoio nero.

Non appena consegnò il passaporto, il ragazzo strabuzzò i suoi grandi occhi azzurri ed esclamò: «Complimenti!».

Ulisse scosse lievemente la testa, mentre in sottofondo ora andava *Believe* di Cher.

«Gay, bisex, pansessuale, transessuale, transgender... o etero?» gli chiese il ragazzo con gli occhi azzurri, che pareva essere il responsabile.

«Scusi?»

«Le ho chiesto: gay, bisex, pansessuale, transessuale, transgender o etero?»

«Chi, io?»

Ulisse, completamente disorientato, si girò verso Manuel, che se ne stava lì, nel suo metro e sessanta e il suo fare sempre un po' timido.

Gli rivolse un'espressione stranita e Manuel, in risposta, allargò semplicemente le braccia, come a dire: "Che ci vuoi fare?".

«Perché vi interessa?»

«Mi scusi. Pura indagine statistica per il ministero del Turismo del nostro Paese. Se vuole partecipare gliene saremo grati, ma non è obbligatorio, ci mancherebbe!» spiegò il responsabile.

«Etero» rispose deciso Ulisse, non senza notare le alzate di sopracciglia dei tre ragazzi dietro il bancone del check-in.

A quel punto intervenne di nuovo il responsabile. «Ha un bagaglio da imbarcare?»

Ulisse sollevò il trolley rosa e lo pose sul nastro davanti a lui.

«Molto... *etero*» sibilò il terzo ragazzo, alto, magrissimo e con un paio di baffi arricciati.

«È di mia moglie» sottolineò Ulisse.

«... Certo...»

Ulisse gli avrebbe voluto dire chi era: un famoso giornalista italiano, firma di punta di «X-Style», e che se stava andando ad Atene era perché doveva intervistare Gregorius Zena e Costantino Dukas. Si era spiegato?

Ma decise che non ne valeva la pena, specialmente quando il responsabile gli consegnò un pacchettino.

«Questo è il kit del turista greco. Dentro troverà una guida alla nuova Grecia, un breve romanzo queer da leggere in volo o alla sera prima di andare a letto, una crema abbronzante, dei profilattici e una serie *infinita* di coupon con sconti da usare in ristoranti, negozi, teatri e cinema di tutta la Grecia.»

"Ecco cosa significava promuovere il turismo" pensò Ulisse. E disse: «Grazie».

Poi, stringendo finalmente in mano la sua carta d'imbarco, fece un sospirone: ce l'aveva fatta.

Se il destino si accontentava di tutti i contrattempi che gli aveva regalato quella mattina, ora la strada era tutta in discesa.

5

Capitolo lilla

Manuel era un ragazzo molto taciturno. Guardandolo dentro la navetta che dal gate li stava portando verso l'aeroplano, Ulisse ripensò alla prima volta in cui lo aveva incontrato.

Era stato in occasione di un reportage sulla nuova zona gay di Milano – guarda guarda gli scherzi del destino! – in cui lui aveva intervistato i gestori dei locali, la clientela, cercando di rendere sulla pagina tutta l'atmosfera che si respirava.

Fin da quel momento aveva notato che era un ragazzo molto attento a tutto ciò che lo circondava. Era come se il suo occhio, quasi in maniera automatica, scansionasse la realtà, e non appena colto qualcosa di interessante, inviasse un impulso al dito, che scattava la fotografia.

E molto spesso erano fotografie straordinarie.

Se Gualtiero Riccobono lo aveva scelto per l'«Operazione Grecia» era perché lo considerava il miglior fotografo della sua scuderia. E Ulisse non poteva dargli torto.

L'unica cosa che lo preoccupava era il suo carattere. Era tremendamente introverso, specialmente con gli uomini. Gay o etero che fossero. Lo aveva notato durante il lavoro in Porta Venezia. Diversi ragazzi avevano tentato di abbordarlo mentre scattava fotografie – perché Manuel, anche se non era certo lui a doverlo dire, era un gran bel ragazzo, seppure in miniatura: moro, con un incarnato roseo, gli occhi tondeggianti nocciola, e un lieve filo di barba, i capelli corti lasciati disordinati. Eppure lui sembrava non vederli. O meglio, li guardava ma non aveva il coraggio di attaccare bottone, né di farselo attaccare.

Con le donne, invece – e lo aveva visto in redazione –, diventava spigliato, divertente, spiritoso.

Stavano per scendere dal pulmino, quando gli squillò il cellulare. Ulisse lo vide cercare nella sua borsa a tracolla, da cui faceva capolino il kit del turista greco.

«Pronto, mamma» disse a voce bassa.

E poi: «Sì, sì, stiamo per partire... M-mh...». Praticamente bisbigliando aggiunse: «Arriviamo a Istanbul intorno all'ora di pranzo... sì, sì, mangio qualcosa lì... non penso faccia freddo». Quindi ebbe un accenno di ribellione, ma giusto un accenno: «Mamma, siamo arrivati... sì, sì, bacio».

Ulisse non ebbe il tempo di domandargli il perché avesse detto a sua madre che stava andando a Istanbul, invece che ad Atene, che il suo sguardo fu catturato dal velivolo che li avrebbe portati in Grecia – perché non c'era dubbio che fosse quello.

Si trattava di Boeing 777, come quelli che Alitalia usava per i viaggi di lungo raggio, con quasi trecento posti. Ma non aveva una semplice linea verde sul lato. Tutto il mezzo era colorato con i colori dell'arcobaleno, e dal suo interno proveniva musica a tutto volume: Cyndi Lauper, *Girls Just Want to Have Fun*.

Mano a mano si andava sempre più indietro col tempo, nella scelta della colonna sonora, pensò Ulisse.

Tra i vari mezzi in sosta o che cominciavano a fare manovra sulle pista, non c'era dubbio che si facesse notare. E non poco.

A giudicare poi da quanta gente ci fosse attorno a lui era pieno.

Ecco una prima cosa che si sarebbe dovuto annotare per il suo reportage. La Rainbow Airline, coi suoi Boeing variopinti e chiassosi, era una compagnia di successo. Una conferma che la Grecia era tornata a essere una meta turistica ambita.

Mentre saliva le scale che lo portavano a bordo, si ritrovò anche a guardare gli altri passeggeri.

In gran parte ragazzi. Inequivocabilmente gay. A gruppi, o a coppie, ma c'erano anche parecchi single, forse a caccia di avventure. Le ragazze erano di meno, e in quel caso non riusciva subito a valutare se si trattasse di lesbiche o meno. Ma, con suo stupore, si rese conto che c'erano anche diverse famiglie italiane. Coppie con bambini, coppie senza bambini, coppie in dolce attesa, coppie con trasportini di animali.

Turismo non esclusivamente gay, si annotò nella mente.

E fu il suo turno di mostrare di nuovo la carta di imbarco e il passaporto.

Quindi si accomodò al posto, per fortuna quello accanto al finestrino. Se c'era una cosa che gli piaceva, quando volava, era proprio guardare la città farsi sempre più piccola e poi, d'improvviso, ritrovarsi a sorvolare le nuvole oppure il mare aperto.

Manuel sedeva di fianco a lui. Lo vide allacciarsi subito la cintura di sicurezza attorno alla vita.

«Paura di volare?» gli chiese Ulisse.

«Solo un po'.»

«Hai preso qualcosa?»

«Trenta gocce di En appena arrivato in aeroporto.»

«Trenta?! Hai *terrore* di volare, allora.»

«Non farmici pensare. In realtà sto cercando di convincere la mia mente di essere su un treno. Se riesco a gestire la paura forse non vomiterò tutta la colazione...»

Ulisse roteò gli occhi, ma in fondo in fondo Manuel gli faceva tenerezza.

Non si conoscevano bene, e certo non si sarebbero potuti definire amici, ma ormai collaboravano da tanti anni, e un po' di confidenza ce l'avevano.

E ora Ulisse aveva voglia di metterlo un po' in imbarazzo.

«Senti, per cambiare discorso» gli disse, «ti posso chiedere una cosa?»

Manuel lo fissò per un secondo con quei suoi occhietti nocciola da cerbiatto. «Dimmi...» disse alla fine, un po' esitante.

«Lo sai che stiamo andando ad Atene, vero?»

«Sì, certo.»

«E allora perché prima hai detto a tua madre che la meta era Istanbul?»

Manuel avvampò in volto. Dal collo il rossore si propagò fino alla fronte, che si fece all'istante un po' lucida.

«Amedei!» gli disse con tono di rimprovero, o meglio, con quello che sembrava voler essere un tono di rimprovero, perché Manuel era sempre gentile e delicato, anche quando doveva imporre le sue ragioni.

«Mi devo fare i cazzi miei?»

«Direi di sì. Comunque, visto che mia madre, conoscendola, mi chiamerà piuttosto spesso e non voglio che tu mi faccia fare gaffe, tanto vale che te lo dica. Non voglio che sappia che sto andando in Grecia perché ho paura che faccia due più due e capisca che sono gay.»

Ulisse trattenne una risata.

«Non penso che tua madre abbia bisogno di saperti in Grecia per capire che sei gay. Le mamme lo sanno... così almeno dicono mia moglie e la schiera di suoi amici gay.»

Manuel alzò un secondo gli occhi al cielo. «Sarà, ma io comunque non voglio che lo sappia.»

«Quindi non le hai mai presentato un ragazzo?»

«Ma no! In famiglia non sanno niente... Ora poi viviamo a cinquecento chilometri di distanza, non ci vediamo tanto, che cosa cambia?...»

La loro conversazione fu interrotta dal silenzio che calò nell'abitacolo. La musica, infatti, e ora dalle casse usciva la melodiosa voce di Barbra Streisand, sulle note di *Evergreen*, si stoppò all'improvviso. E nello stesso istante si zittirono anche tutti i passeggeri.

Un attimo dopo anche le luci si spensero, i finestrini si chiusero automaticamente, e ci si ritrovò nel buio più completo.

Qualcuno disse: «È un attentato?» e si sollevarono dei brusii di preoccupazione.

Poi, un faretto si accese in fondo al corridoio, e illuminò un ragazzo alto, maglietta bianca aderente che metteva in evidenza il fisico scolpito e pantalone largo.

Sopra di lui calò uno schermo, sul quale comparve il logo della Rainbow Line.

Ulisse si sollevò leggermente dal sedile e lanciò uno sguardo alle sue spalle. Qualche fila più indietro c'era un altro ragazzo, col suo bel faro puntato su di lui, e con uno schermo sopra la testa.

La musica ripartì: *Vogue* di Madonna.

E all'istante i ragazzi – che, ora Ulisse aveva capito, altri non erano che gli assistenti di volo – cominciarono a eseguire le coreografie del videoclip applicando ai movimenti delle braccia qualche variante. Le immagini sullo schermo venivano perfettamente sottolineate dai passi della coreografia sui sistemi di sicurezza a bordo: le uscite di emergenze, le mascherine dell'ossigeno, giubbotti di salvataggio, eccetera.

«Questi sono fuori di testa...» mormorò a bocca stretta Ulisse, mentre lo spettacolino continuava e tutti i passeggeri assistevano come imbambolati.

Quando le luci si riaccesero, e i finestrini si risollevarono di colpo, si scatenò un applauso fragoroso.

Gli assistenti di volo cominciarono a passare per i corridoi a controllare che le cinture di sicurezza fossero tutte allacciate e i tavolini alzati. Non appena uno di loro fu accanto a Ulisse, lui lo fermò: «Scusi!».

Il ragazzo si bloccò all'istante. «Sì, signore?» chiese con un largo sorriso.

«A cosa serve tutto questo... *spettacolo*?»

«A far sì che i nostri passeggeri seguano attentamente le istruzioni riguardo alla loro sicurezza a bordo. Nel modo canonico delle altre compagnie aeree nessuno se li fila, gli assistenti di volo. Nel nostro caso è difficile non seguire e memorizzare dove si trovano le uscite di sicurezza se collegate alla coreografia di una canzone che tutti conoscono!» rispose prontamente l'altro.

«Ah...» riuscì soltanto a dire Ulisse, mentre Manuel accanto a lui sembrava molto più rilassato di prima. Forse *Vogue* funzionava più dell'En per l'ansia.

«Spero di essere stato esaustivo, signore.»

«Sì, sì...»

«Allora buon viaggio», e proseguì nel suo giro di ispezione.

I motori del Boeing cominciarono a rombare, l'aereo prese velocità e, alla fine, in un momento che Ulisse, non smetteva di sentire come magico nonostante i tanti voli presi in vita sua, si staccò dal suolo.

Nel giro di qualche secondo le case si fecero minuscole, le macchine diventarono puntini, e l'aereo virò verso est.

Manuel, accanto a lui, aveva aperto la prima pagina del romanzo contenuto nel kit del turista greco – *Camere separate* di Pier Vittorio Tondelli. Sembrava davvero sereno, chissà se immaginava di essere su un treno, oppure se l'accoppiata En-*Vogue* lo aveva completamente stordito.

Ulisse estrasse dalla tasca il cellulare e si appuntò:

Come far sì che i passeggeri di un volo, anche quelli che l'aereo lo prendono più spesso di una metropolitana, ascoltino le istruzioni degli assistenti di volo riguardo la sicurezza a bordo? Semplice, affidando il messaggio alle coreografie del video di Vogue *di Madonna.*

Così avrebbe cominciato il primo articolo del suo reportage.

Il viaggio aveva ora inizio. Vogue! Vogue, vogue... a sfumare...

Parte seconda

ATENE

6

Capitolo petrolio

Ulisse Amedei era stato in aeroporti spettacolari, alcuni costruiti sulla spiaggia, a pochi metri dal mare, altri a quote inimmaginabili. Ma niente avrebbe potuto prepararlo a ciò che vide appena atterrato all'Atene Maria Callas. La prima sensazione che provò, messo il naso fuori dall'aeroplano, fu però un misto di nostalgia e familiarità. Era già stato più volte in Grecia anni prima, quando ancora la Grecia era nell'euro e tentava di rimanere a galla, tra governi che si succedevano e politiche di austerity sempre meno efficaci, e aveva ricordi bellissimi: il mare, il cibo, le donne...

Quando il sole lo colpì in faccia, con quella sua calda carezza, fu come tornare indietro nel tempo.

Ma non durò che un attimo. Non era più *quella* Grecia. Gli bastava guardare le navette che dal colorato velivolo della Rainbow Airline portavano fino all'interno della struttura per rendersene conto: invece dei normali e scomodissimi sedili c'erano poltroncine da platea e, nella parte posteriore della vettura, dei veri e propri palchetti. Che ovviamente, quando Ulisse e Manuel riuscirono a salire, erano già stati occupati.

Alcuni teleschermi, nonostante il tragitto fosse brevissimo, trasmettevano riprese con esibizioni della Callas: in quel momento, un'interpretazione della *Tosca* di Puccini, sparata al massimo volume dagli altoparlanti.

«Ma che cavolo...?» mormorò Ulisse con gli occhi sgranati.

«*Wonderful!*» sentì dire a una signora alta un metro e cinquanta e larga più o meno altrettanto, che indossava un paio di occhialoni scuri e un cappello larghissimo da cui spuntavano delle ciocche biondo platino.

Appena sceso dall'aereo Manuel si era messo di nuovo al collo la macchina fotografica, e aveva cominciato a scattare fotografie.

«Bravo» gli disse Ulisse con un sospiro, «penso che avremo parecchio da fotografare durante questo viaggio...»

«Sì» rispose lui. Come al solito, era di poche parole, però sembrava eccitato come un bambino dentro un parco giochi.

Alla fine, Ulisse si sedette in platea, accanto a un finestrino, e ciò che vide lo stupì ancora di più del pulmino-teatro dentro cui stava viaggiando.

«Noo, Manuel, guarda là fuori...»

Quello non era un aeroporto: era un'installazione di dimensioni macroscopiche dedicata alla «Divina».

Tutto costruito con pannelli in vetro, l'edificio era un'enorme gonna alla cui sommità si ergevano il busto, le braccia e la testa di Maria Callas, con la torre di controllo adagiata in una sua mano nella posa di Violetta nella *Traviata* di Verdi.

«No ma dài!! Guarda!!!»

Dietro di loro, seduti nel primo palchetto, c'erano tre ragazzi italiani con gli occhi lucidi e le labbra tremanti.

«In questi giorni dobbiamo riuscire ad andare anche al Museo Callas» disse uno di loro.

«Non so se il festival ci lascerà abbastanza tempo...» disse il ragazzo Numero Due con l'aria leggermente affranta.

«L'avevo detto che cinque giorni non bastavano, specie se dobbiamo vedere *tutti* gli spettacoli» fece il Numero Tre con piglio polemico.

«Potremmo saltare il Pride, e andare al Museo, no?» propose il Numero Uno.

«Be', è una cosa che non avevo considerato... Siamo qui ad Atene proprio in questo periodo, e il Pride dev'essere qualcosa di straordinario. Però se voi due siete entrambi d'accordo io non...» disse il Numero Due, ma fu subito bloccato dal Numero Tre:

«No, forse non avete capito. Qui la Giornata nazionale è *sa-cra*. Anzi, che ne dite piuttosto, quella sera, di saltare lo spettacolo e andare a fare un giro per locali in centro, dopo la parata?... Non avete voglia di ballare un po'?»

Ulisse, preso da quella discussione, si voltò verso di loro.

Il Numero Uno e il Numero Due guardavano il Numero Tre con sdegno, come se avesse appena bestemmiato.

«Ma c'è la Popolova che canta!» Il Numero Uno era inorridito dal disinteresse mostrato da quello che sembrava essere il suo compagno. «Se tu vuoi andare a ballare vai, ma poi non so se al tuo ritorno mi troverai ancora!»

«Ma se la Popolova neanche ti piace! Ogni volta che la andiamo a vedere a Vienna non fai altro che urlare "Buh"!»

«Appunto, devi darmi man forte. Ci vuole qualcuno che le faccia capire che sarebbe ora che si ritirasse dalle scene!»

Melomani, pensò Ulisse.

In fondo, dove c'è opera, ci sono gay. E dove ci sono gay, c'è opera. Era un teorema inossidabile. Così si diceva.

O era piuttosto un luogo comune?

Man mano che si avvicinavano all'edificio, la testa della Callas spariva al di sopra della gigantesca gonna che faceva da tetto all'intera struttura del terminal. Ulisse cominciò a pensare a cosa lo attendeva. Quali erano gli aspetti della nuova Grecia a cui avrebbe dovuto dare più attenzione? Si era preparato abbastanza sulla cultura gay? Avrebbe offeso la sensibilità di qualcuno?

Per fortuna avrebbe avuto una guida.

Non sapeva ancora nulla di lui. *O di lei.*

Sapeva solo, pensò mentre aspettava il suo bagaglio sul nastro trasportatore, che era una persona di fiducia del primo ministro Gregorius Zena, e che avrebbe accompagnato lui e Manuel nei luoghi di maggior interesse della città, nonché al cospetto delle personalità di spicco del governo e della società civile.

«Manuel, guarda anche tu se vedi qualcuno con un cartello con su scritto il nostro nome.»

Quando giunsero agli arrivi, furono colti da un chiasso infernale: persone che urlavano, tutte col cellulare in mano, giornalisti con macchine fotografiche che scattavano senza sosta.

Più volte Ulisse dovette schermarsi gli occhi a causa dei flash.

«Ehi, che accoglienza...» commentò cercando di sorridere. Forse il primo giornalista italiano a essere invitato ufficialmente nella Grecia arcobaleno meritava un'accoglienza del genere. Manco fosse un calciatore o una rockstar. Il suo ego esultò.

«Capo, non sono per noi» fece Manuel indicandogli la donna alla sua destra.

Ulisse si voltò. Era la grassona col cappello e gli occhiali che aveva visto sulla navetta.

«E chi è?»

«Non ne ho la più pallida idea...»

Intanto alcuni gridavano: «Selena! Selena!», con le lacrime agli occhi.

Mentre la donna veniva portata in disparte da un giornalista greco con cameraman al seguito, Ulisse fece per chiedere a uno dei tre melomani di prima se sapesse chi fosse, ma proprio in quel momento Numero Uno cadde a terra, come svenuto.

Gli altri due si inginocchiarono per soccorrerlo, e Ulisse non riuscì a non farsi prendere dalla febbre della curiosità. L'inizio di quel viaggio si stava rivelando più spumeggiante di quanto avesse pensato.

«Speriamo non mi abbia sentito, speriamo non mi abbia sentito, speriamo non mi abbia sentito...» continuava a mormorare Numero Uno, come in stato di shock.

«Figurati, mica capisce l'italiano quella» tentò di rassicurarlo Numero Tre accarezzandogli la testa.

«Veramente la Populova ha studiato in Italia quand'era giovane e presumo che qualche parola la conosca» puntualizzò Numero Due, che fu subito trafitto da uno sguardo raggelante di Numero Tre.

La cantante lirica si era tolta gli occhiali scuri di dosso e mostrava i suoi magnetici occhi blu.

Numero Uno cominciò a piangere e, riuscendo a mettersi in ginocchio implorò: «Ti prego Selena, perdonami! Perdonami!».

Ma quella sembrava non sentirlo neanche, concentrata com'era a fare espressioni accattivanti davanti alla telecamera.

Era in atto una vera e propria tragedia. Ulisse ridacchiò.

«Meglio se ce ne andiamo» disse a Manuel.

Ma, quando si voltò, si accorse che il fotografo non era più accanto a lui. Lo cercò con lo sguardo finché non lo vide, qualche metro più in là, in compagnia di una donna. E non una donna qualunque. Alta, capelli castani, perfettamente lisci, trucco curato ma non pesante, e vestita con un tailleur color petrolio. Una «figa pazzesca», come si diceva a Milano.

Ulisse fece un bel respiro, e si avvicinò a loro con passo spavaldo.

Doveva essere la guida.

Gran bella guida...

Davanti a lei, tese la mano e disse: «Hello, I am...».

«Non si preoccupi. Parlo italiano» tagliò corto la donna, la quale – ora che Ulisse riusciva a vederla meglio – era piuttosto ancora una ragazza.

«Ah, bene» fece Ulisse, dandosi dello scemo: Gualtiero Riccoboni glielo aveva anche detto! «Sono Ulisse Amedei.»

«Lo so chi è lei, buongiorno. Io sono Khloe, vi accompagnerò in questo viaggio. Piacere e benvenuti in Grecia.»

E si strinsero la mano. Anzi, per l'esattezza Khloe gli stritolò le dita.

Però, pensò Ulisse, che tipo... Lesbica, senza dubbio. D'altronde era una persona del governo.

«Com'è andato il volo? È stato di vostro gradimento?» chiese la ragazza.

«Oh sì, molto. Specialmente il balletto di *Vogue* fatto dagli assistenti di volo e le navette-teatro...»

Khloe lo fissò dritto negli occhi. «Noto una certa ironia o sbaglio? Le vorrei ricordare che la Rainbow Airline ha vinto lo scorso anno il premio come miglior compagnia aerea del mondo. E che questo aeroporto è considerato una mecca per gli appassionati di architettura ma soprattutto di musica lirica. Ci sono giapponesi che scelgono voli che facciano scalo qui ad Atene anche solo per visitarlo.»

Ulisse rimase di sasso.

«N-nessuna ironia» balbettò.

Doveva stare più attento a quello che diceva e al tono che usava. O rischiava l'espatrio. E la rovina, in partenza, della sua ascesa lavorativa.

Khloe sorrise. «Bene, allora vi accompagnerò all'albergo. Avete già cambiato gli euro?»

Ulisse si picchiò la fronte con la mano. Manuel restò con gli occhi spalancati, in atteggiamento colpevole.

No, se ne erano entrambi dimenticati.

«Nessun problema... andate pure all'ufficio cambi. Io vi aspetterò nella saletta Onassis.»

«E dove...?» fece Ulisse.

«Lì, vede?» Khloe indicò una struttura circolare in vetro. All'interno un cameriere girava tra le sedie con un vassoio offrendo da mangiare e da bere. «Pesci fritti e champagne» aggiunse la ragazza. «Era il menu della colazione durante la quale la Callas e Onassis si sono conosciuti!»

"Quante cose si scoprono..." pensò Ulisse, ma si trattenne dal dirlo. E poi aveva un certo appetito. «La raggiungiamo subito. Chissà che mangiando pesci fritti e champagne non ci innamoriamo anche noi...»

Khloe restò impassibile, mostrando di non avere apprezzato la battuta.

Sì, era proprio lesbica, se c'era bisogno di ulteriori conferme.

Ulisse e Manuel si misero in coda. Davanti a loro i tre melomani.

"Questi non ce li leviamo più dai piedi" pensò Ulisse sbuffando.

Numero Uno era ancora un po' pallido, ma il peggio era sicuramente passato. Numero Tre lo teneva per l'avambraccio. «Duemila dragme basteranno per cinque giorni?» chiese Numero Due guardando verso il soffitto con aria concentrata.

«Sì, sì, basta che ci sbrighiamo» rispose Numero Tre spazientito. «Ho voglia di arrivare in albergo e buttarmi sotto la doccia.»

"Idem" pensò Ulisse mentre i melomani proseguivano al cambio di valuta.

Ecco, finalmente avrebbe visto dal vivo la nuova moneta greca: le dragme.

L'uomo al di là dello sportello consegnò a Numero Due un fascio di banconote, contandole davanti a lui.

Ulisse sgranò gli occhi. Erano banconote col bordo arcobaleno, una banda glitterata sul lato e, su ciascun taglio, il volto di una drag queen diversa.

Ma era possibile che esistesse una moneta del genere?

Si girò alla ricerca di Khloe. La vide già all'interno della saletta Onassis con un flûte di champagne in mano.

«Qui si spiega tutto» gli disse Manuel porgendogli un dépliant, come se gli avesse letto nel pensiero.

Ulisse lo prese. Era intitolato «La dragma: la moneta della rinascita».

Si spiegava che all'indomani del default la Grecia era tornata alla dracma, ma la fiducia in questa moneta da parte degli investitori internazionali era praticamente nulla. Bisognava cambiare rotta. Se un prodotto non funziona – dice il marketing – un primo tentativo per farlo funzionare può essere una rivoluzione del packaging. Senza contare che ormai la tristissima dracma non rappresentava più lo spirito della nuova Grecia, una nazione allegra in cui tutti i sogni potevano realizzarsi. Compreso quello economico.

Ad avere questa idea era stato Nikandros Daskalakis, di giorno brillante economista, di notte Dora Valium, drag queen al Partynone, la discoteca più grande e frequentata di Atene. E il ministero del Tesoro, a caccia di quell'innovazione che avrebbe permesso all'economia greca di rilanciarsi in maniera definitiva, l'aveva subito accolta con grande entusiasmo.

E poi bisognava cambiare rotta: la drag, nota per la sua leggerezza e la sua ironia, era proprio la giusta immagine da apporre sui soldi, che fino a quel momento avevano condizionato negativamente la vita del Paese.

I tagli delle banconote erano gli stessi dell'euro: sulle cinque dragme c'era il volto di Roxanne Russell, bionda, fine con il rossetto rosso. Sulle dieci, la raffinata Barbette, a cui pare che Alfred Hitchcock si fosse ispirato per la pellicola *Omicidio!* Sui venti, invece, i volti erano due, quelli delle Rocky Twins in caschetto nero. Sulle cinquanta un ritratto di RuPaul con un'immensa parrucca riccia, giallo canarino. Sulle cento c'era Zucchero del film *A qualcuno piace caldo*. Infine, sulle cinquecento dragme c'erano Bernadette, Mitzi e Felicia personaggi dal film *Priscilla la regina del deserto*, che avevano ispirato drag queen di tutto il mondo.

«Le voglio tutte!» si lasciò sfuggire Manuel.

Ulisse sorrise, pensando a quante persone nel mondo dovessero aver avuto lo stesso pensiero. Ecco perché la dragma, forse, era diventata una moneta tanto popolare...

Si fece cambiare mille euro, che scoprì corrispondere a circa duemila dragme, aspettò che Manuel facesse lo stesso, quindi si avviarono insieme alla saletta Onassis.

«Eccoci!» disse in direzione di Khloe prendendo un flûte dal vassoio che il cameriere aveva appena allungato verso di lui. Manuel lo imitò senza dire una parola.

«Bentornati» fece lei, rimanendo comodamente seduta. «Prendete anche un po' di sarde fritte. Sono deliziose!»

«Quindi Maria Callas e Aristotele Onassis si innamorarono sbocconcellando sarde fritte?» chiese Ulisse prendendo dal vassoio che il cameriere portava nell'altra mano un bicchierino con due o tre sarde fritte, in stile finger food.

«Se fossero sarde non lo so, mi coglie impreparata, ma qui all'aeroporto amiamo la varietà, anche a costo di essere un po' imprecisi con la storia.»

«Ha sempre la risposta pronta, eh?» rise Ulisse.

«Sono qui per questo. Per rispondere alle vostre richieste» disse Khloe senza raccogliere lo scherzo.

Ulisse si schiarì la voce con un colpo di tosse. Quindi mangiò la prima sarda. «Buona» bofonchiò.

«Ne sono lieta...»

«E adesso... dove si va?»

«Abbiamo prenotato per voi due camere all'Hotel Almodóvar, che si affaccia sul Parco Stonewall nel cuore della Plàka. Che spero saranno di vostro gradimento. Alle nove verrò a prendervi per una cena con il ministro delle Icone, mentre per domani abbiamo in programma un tour culturale molto ricco e impegnativo.»

«Ministro delle Icone?!» si lasciò sfuggire Ulisse.

«Sì, avrà il piacere di conoscerla stasera.»

«Una donna?»

«Qualcosa in contrario?»

«No, no, anzi...»

«Bene. È una persona molto colta e di compagnia. Sono sicura che le spiegherà nel dettaglio di cosa si occupa il suo ministero, che per noi è importante come quello della Cultura o dell'Istruzione.» Khloe si pulì le dita con una salviettina umidificata. «Ci sono tante cose che deve scoprire della nostra Grecia...»

«Me ne rendo conto anch'io» liquidò Ulisse infilandosi in bocca le due sarde rimaste. «Bene, possiamo andare? Manuel, sei pronto?»

«Sì, capo» disse il ragazzo scolandosi in un sorso solo tutto lo champagne rimasto.

«E non chiamarmi "capo"!»

Attraversarono a passo spedito l'aeroporto, gremito di persone. In ogni dove c'erano colonnine con fotografie di

Maria Callas e postazioni in cui ascoltare, con grosse paia di cuffie bianche, le sue esibizioni più famose, o ancora touch screen ad altezza bambini con giochi interattivi.

«Mancano solo le drag queen vestite da Maria Callas...» commentò Ulisse.

«Non ha che da chiedere» gli fece eco Khloe con un sorrisetto indicando verso l'ingresso dove due imponenti Marie Callas accoglievano e salutavano i passeggeri.

Era ancora più carina quando sorrideva, pensò Ulisse, che in fatto di donne non si lasciava sfuggire mai niente.

Fuori li attendeva, proprio davanti alla porta degli arrivi, un'auto. Ma non nera o grigio metallizzato: ogni parte della carrozzeria – il tettuccio, il cofano e così via – era di un colore diverso. L'autista, non appena li vide, corse fuori ad aprire le portiere.

«Voi nella Repubblica Italo-Vaticana avete le auto blu, noi le abbiamo arcobaleno» disse Khloe sedendosi nel posto accanto al guidatore.

«Fino a prova contraria l'Italia rimane l'Italia. Il Vaticano è uno Stato a sé» puntualizzò Ulisse accomodandosi dietro con Manuel.

Quell'automobile era spettacolare, pensò. Chissà se ora, col balzo in avanti che avrebbe fatto la sua carriera dopo quel reportage, se ne sarebbe potuto permettere una anche lui.

«Formalmente il Vaticano è sì uno Stato a sé, ma se consideriamo la sua influenza nella vostra politica, possiamo tranquillamente dire che sembra quasi che il vero presidente della Repubblica italiana sia il papa... Le sue dichiarazioni in materia di diritti civili, ma anche di istruzione, politiche estere ed economia, sono sempre piuttosto influenti... o sbaglio?»

Ulisse deglutì. Khloe non aveva tutti i torti, in fondo. E preferì rimanere in silenzio, mentre l'automobile, coi finestrini oscurati, partiva verso il centro di Atene.

Inizialmente percorsero la nuova superstrada Leonardo da Vinci fiancheggiata da uliveti, finché cominciarono a comparire le prime costruzioni, e in un attimo si ritrovarono in città.

La periferia non era più come la ricordava, con casermoni bianchi, dagli intonaci scrostati, e distese di cemento e asfalto.

Tutto sembrava molto più... decoroso.

Molti palazzi erano stati ristrutturati, spiegò Khloe, e altrettanti rasi al suolo dopo che la popolazione della capitale era crollata in seguito all'esodo dei greci. Al loro posto c'erano parchetti pubblici, e nuovi quartieri di villette uni o bifamiliari.

«Non avete idea di quante richieste di case in stile Wisteria Lane abbiamo ricevuto... Pare che i gay di tutto il mondo, in cuor loro, sognino di diventare delle "casalinghe disperate".»

«Scusi...?» Ulisse era disorientato.

«La serie tv, "Desperate Housewives"!» esclamò Manuel riemergendo dal suo silenzio. «Certo che ti si deve sempre spiegare tutto...»

«Per fortuna ho una guida, no?» Ulisse fece l'occhiolino in direzione di Khloe.

Si inoltrarono nel centro, e Ulisse cominciò a riconoscere i colori e le atmosfere della città: il fucsia delle bouganville che spiccava sul chiarore dei palazzi, i gatti che sembravano sbucare da ogni parte o che riposavano sui muretti o sui cofani delle automobili parcheggiate, i tavolini dei bar sulle strade, le rovine dell'antichità che ti sorprendevano quando meno te lo aspettavi, e soprattutto in lontananza il Partenone che, dall'alto dell'Acropoli, vegliava su ogni cosa.

"Atene, in fondo, è sempre Atene" pensò rilassandosi contro lo schienale.

Proprio in quel momento la sua attenzione fu attratta da un assembramento di persone. Due omoni in divisa stavano ammanettando un tizio dall'aspetto dimesso: una camicia larga bianca, dei pinocchietti e un paio di sandali. E gli stavano passando addosso un aggeggio simile a un metal detector.

«Che succede?»

«Oh, non è nulla» disse Khloe.

Ma Ulisse, approfittando di un semaforo rosso, era già sceso dall'auto seguito da Manuel, con la macchina fotografica sfoderata.

Quando fu più vicino, vide che non si trattava di omoni, bensì di un omone e di un donnone, con spalle immense e un'espressione truce dipinta sulla faccia. Avevano divise lucide, blu, e stivaloni fatti per affrontare le situazioni più pericolose.

Ulisse provò a chiedere spiegazioni in inglese alla gente che stava lì intorno, ma nessuno gli badò. Tutti osservavano con occhi attoniti l'uomo che, con i polsi ammanettati dietro la schiena, veniva condotto verso una vettura.

Manuel scattò qualche fotografia. Uno degli agenti, il donnone, si voltò e gli gridò qualcosa in greco, tanto che lui, piano piano, abbassò la macchina fotografica e sbiancò in volto.

«È la Polizia del Buongusto.»

Alle sue spalle comparve Khloe, con la sua solita aria altera e le braccia conserte.

Ulisse corrugò la fronte. «La Buoncostume?»

«No, no, la Polizia del Buongusto. Ci sono cose che in Grecia, patria dello stile, oltre che dei diritti, non ammettiamo più. Come avrete sicuramente notato, quell'uomo indossava dei pinocchietti, che qui sono vietati per legge.»

«E perché?»

«Disposizioni del ministero della Moda. Ma il motivo è presto detto: sono il capo di abbigliamento più brutto che sia mai stato inventato.»

«Be', bruttini lo sono... ma anche comodi.»

«Ecco! Quella è proprio una parola che al ministero della Moda non amano sentir dire» disse Khloe.

«E quell'aggeggio cos'era?»

«L'acrilic detector? Si tratta di uno strumento per trovare tracce di tessuto acrilico. Per legge se ne può indossare al massimo il 40 per cento dell'abbigliamento.» Poi, rivolgendosi a Manuel: «Anche quelli sarebbero vietati» disse indicando i sandali Birkenstock indossati dal giovane fotografo.

Manuel, che ancora non si era ripreso dallo shock, scosse semplicemente la testa, incredulo.

«Li può indossare solo se ha un certificato medico, altrimenti le consiglio di evitarli. La Polizia del Buongusto può essere molto severa...»

«... severa quanto? Mica si potrà andare in carcere per un paio di pinocchietti!» rise Ulisse.

«Proprio in carcere no. In genere gli arrestati devono sottoporsi a corsi di rieducazione allo stile. Ma per i casi più estremi e per i recidivi c'è un soggiorno forzato sull'Isola di Lesbo, la cui durata è da definirsi in base alla gravità del reato. E le assicuro, signor Amedei, che per un gay stare su quell'isola è una punizione durissima, direi anzi atroce.»

Manuel fece di sì con la testa.

«E per le lesbiche invece?» chiese Ulisse, a cui quella norma sembrava un'assurdità.

«Le lesbiche hanno tutto un altro codice etico in materia di abbigliamento. Per alcune di loro, anzi, il vestire male è un punto d'onore, contro l'idea di donna perfetta ed elegante al servizio del maschio. Mi rendo conto che è un argomento molto... *delicato*, che apre diverse riflessioni e...»

«Lei però mi sembra ben vestita, ed elegante» la interruppe Ulisse.

Khloe esitò un istante. «Io rappresento il governo» disse alla fine col tono di chi vuole chiudere l'argomento. E si avviò verso la vettura. «Vogliamo andare? In albergo vi stanno aspettando.»

7
Capitolo fucsia

Ulisse uscì dal bagno in accappatoio, e si buttò sul letto king size della sua stanza, pancia in su e braccia e gambe spalancate, come se stesse disegnando un angelo nella neve. Una doccia ci voleva proprio. Se c'era una cosa che in Grecia non era cambiata, era il clima. Atene era sempre stata una città afosa, e a quello la Pink Economy non era riuscita a porre rimedio.

D'altronde, i miracoli non si potevano fare, almeno quelli in ambito meteorologico.

Si guardò attorno. La suite in cui alloggiava era ampia, arredata in stile minimale. Si affacciava su un terrazzo dal quale si dominavano il Parco Stonewall, i tetti della città e, in lontananza, si vedeva il Partenone, sul quale sventolava un'enorme bandiera rainbow.

Dalla parete contro cui era appoggiato il letto, due enormi occhi lo fissavano. Quelli dell'attrice che dava il nome alla suite: Bette Davis, ritratta in una gigantografia a stencil.

Manuel, come gli aveva scritto poco prima, si trovava nella camera Olivia Newton-John, decisamente più cheap, «ma comunque ok», sue testuali parole.

Erano le sei del pomeriggio, e Khloe aveva detto che sarebbe venuta a riprenderli per la cena alle nove in punto.

Tre ore da occupare in qualche modo... Da una parte Ulisse era tentato di mettersi qualcosa di comodo – ma non troppo, vista la minaccia della Polizia del Buongusto – e poi uscire per farsi un giro alla scoperta dei dintorni, dall'altra si diceva che nei giorni successivi non avrebbe avuto un momento libero. Forse era semplicemente il caso di abbandonarsi alle carezze dell'aria condizionata e regalarsi un pisolino. Ne avrebbe giovato anche il suo aspetto: lo specchio gli diceva che quel giorno i suoi quarantanove anni si vedevano tutti. Sì, urgeva un riposino o, in alternativa, un trattamento rilassante. Chissà se l'albergo aveva una spa al suo interno.

Non c'era che da chiedere. Sollevò la cornetta del telefono e si collegò alla receptionist.

«Buonasera, camera Bette Davis.»

«Sì, signor Amedei, come posso esserle utile?»

Era il ragazzo che aveva incontrato al suo arrivo; Costa gli pareva si chiamasse. Un gran bel pezzo di ragazzo: Manuel era perfino arrossito quando gli aveva rivolto la parola per chiedergli il suo documento. E poi parlava l'italiano praticamente alla perfezione.

«Avrei voglia di un massaggio...»

Due secondi di silenzio. «Massaggio... di che tipo?»

«Non so. Qualcosa di rigenerante... rilassante... Ci siamo capiti, no?»

Ancora due secondi di silenzio. «Rigenerante... rilassante...»

«Sì, esattamente.»

«Senta» il tono ora si era fatto meno indeciso, «penso di non poter esserle utile. Non siamo quel tipo di albergo... Però se vuole le posso consigliare qualche zona ad Atene in cui facilmente trovare...»

In quel momento Ulisse si rese conto del disguido e divenne rosso come un pomodoro pachino. Cosa molto rara per lui, che non si lasciava imbarazzare più da niente.

«N-no, non intendevo *quello*» balbettò.

«Oh.» I soliti due secondi di silenzio. «Oh.»

Ulisse fece una risatina, la più macho che riuscì a emettere.

«Che imbarazzo...» riprese Costa. «Sono mortificato. Mi perdoni, signor Amedei. Rimedio subito: dunque, mi lasci

71

guardare l'agenda del massaggiatore del nostro albergo... magari già nelle prossime ore...»

Ulisse lo bloccò: «Nessun problema, Costa. Ho cambiato idea, mi farò un sonnellino».

«Come preferisce, signor Amedei... e mi perdoni ancora. Ma se nei prossimi giorni le dovesse tornare la voglia... ehm, voglia di un massaggio, mi chiami pure.»

«Grazie, Costa, buon pomeriggio.»

Meglio chiudere il prima possibile quella conversazione.

Ulisse prese dal comodino il telecomando delle tapparelle e le abbassò finché la stanza non fu immersa nella penombra.

Per fortuna si trovava in un albergo perbene, altrimenti si sarebbe ritrovato in camera con un massaggiatore-escort che a un certo punto gli avrebbe allungato la mano chissà dove. Il che non era precisamente il suo sogno.

Puntò la sveglia alle venti e trenta – a volte se si addormentava nel pomeriggio si risvegliava solo a notte inoltrata – e accese il televisore. Era una di quelle cose che la sera lo tramortiva mandandolo rapidamente nel mondo dei sogni.

Alcuni canali erano in lingua greca, altri invece in inglese. La programmazione era estremamente variegata: rubriche su moda, musica, cinema, quiz, oltre a canali tutti dedicati ai film o allo sport – con la differenza che la prima disciplina in cui incappò non fu il pallone come in Italia ma il rugby. E non era difficile immaginare perché fosse lo sport più seguito in tv.

Poi finalmente trovò un canale di notizie non-stop in inglese.

La coppia di conduttori era composta da un uomo sui cinquanta, stempiato, e con una voce profonda, e da una donna con qualche ritocchino di troppo. Niente di diverso, insomma, da ciò che avrebbe potuto trovare sintonizzandosi su un canale italiano.

«E parliamo dei festeggiamenti per la Giornata nazionale» annunciò la donna. «Sono previsti un milione e mezzo di partecipanti, e il sindaco di Atene, Chariton Basinas, ha disposto una serie di misure di sicurezza contro il rischio di attentati terroristici. Ce ne parla il nostro inviato.»

Sullo schermo comparvero le immagini di quella che doveva essere stata la parata dell'anno precedente: un fiume di persone sorridenti, coppie con bambini, etero e omosessuali, single, gruppi di ragazzi e ragazze che ballavano dietro a un carro che mandava musica da grossi altoparlanti, e quindi la ripresa aerea di questa massa umana – qualcosa di straordinario, pensò Ulisse, qualcosa che in Italia non si era mai visto, neanche per il Giubileo.

«Mancano tre giorni ai festeggiamenti nazionali, che porteranno nella capitale centinaia di migliaia di persone. Si pensa che quest'anno si supereranno il milione e cinquecentomila persone. Come ogni anno è forte il timore di attentati terroristici. Il sindaco di Atene, nonostante il rigore delle nostre frontiere, consiglia di non abbassare mai la guardia: componenti di cellule omofobe armate sono stati arrestati solo due settimane fa nei loro nascondigli a pochi chilometri dalla capitale.»

A questo punto, sullo schermo apparve il volto del primo cittadino di Atene, un uomo rasato, vestito con una polo rosa salmone: «Sarà prima di tutto una grande festa, in cui vogliamo che la gente si diverta senza preoccupazioni. Le forze dell'ordine veglieranno sullo svolgimento della manifestazione: abbiamo approntato un piano speciale e siamo sicuri che niente andrà storto. Ma quando tra le persone che dal palco faranno sentire la propria voce ci sono il primo ministro e il presidente della Repubblica, l'attenzione dev'essere sempre altissima. La Grecia è il baluardo dei diritti nel mondo, ci sono nazioni che, da Oriente ma anche da Occidente e all'interno dell'Europa, ci vedono come un pericolo, ma è proprio per questo che noi dobbiamo far sentire la nostra voce ancora più forte. Noi abbiamo la forza dell'amore, della vita, e della ragione. L'oscurantismo non vincerà!»

Le parole del sindaco – che pareva intenzionato a dilungarsi ancora un bel po' – vennero bloccate, e si ritornò nello studio televisivo.

Per fortuna, si disse Ulisse.

Ma a quel punto, con sguardo allarmato, l'anchorman proseguì: «E torniamo a parlare dello scandalo che si è scatenato sul ministro degli Etero».

Questo lo sapeva! si disse Ulisse. Il ministero degli Etero altro non era che l'equivalente dei ministeri degli Esteri di tutti gli altri Paesi del mondo. Il ministero dell'Interno era invece, in Grecia, il ministero dei Gay.

«Le fotografie pubblicate dal quotidiano "Gay Today", che vedono il ministro Mikalis Harakis in atteggiamenti inequivocabili insieme a una donna» prese la parola la collega ritoccata, «hanno già fatto il giro del mondo, e fanno tremare il governo. Ve le proponiamo.»

Nella prima Harakis, un uomo mingherlino, dal naso importante e un aspetto non certo florido, stava baciando una donna dietro un orecchio. Lei, labbra rosso fuoco, probabilmente gonfiate, sorrideva scostando i capelli castani. In una mano reggeva una sigaretta. Non era chiarissimo dalla foto, ma pareva si trovassero in un ristorante.

Nella seconda, le cose si facevano un po' più piccanti. Harakis palpava l'enorme seno destro della donna, che continuava a sorridere. La sigaretta quasi al filtro, ormai.

E quindi, come ultimo scatto, i due che varcavano, seduti nel sedile posteriore di una Mercedes, il cancello della villa del ministro.

Facile immaginare come la serata fosse proseguita...

«È la prima volta che un esponente del governo, dichiaratamente gay, viene sorpreso con una donna» spiegò la giornalista. «Marina Davanzati, italiana, è entrata in Grecia dichiarandosi gay-friendly. Nel frattempo il ministro degli Etero dichiara: "Io non ho niente contro gli etero, ho moltissimi amici etero... ma io non sono eterosessuale! Ero convinto che fosse una trans. Non ho colpe. Non sono eterosessuale, lo giuro!", con la voce rotta dall'emozione.»

«È una vera tempesta, quindi» prese la parola il giornalista stempiato, «destinata a interrompere bruscamente una carriera politica che sembrava in grande ascesa. Vediamo, grazie al prossimo servizio, chi è Mikalis Harakis, l'unico ministro uomo in una squadra di governo composta altrimenti solo da donne e trans.»

Partì, in sottofondo, la strappalacrime *My Heart Will Go on* di Celine Dion. Si vide un giovane Harakis marciare nei Pride di Atene quando ancora la parità dei diritti era un miraggio, quindi il suo primo volantino come candidato a consigliere comunale in una cittadina poco distante dalla capitale, la foto dei banchetti che organizzava per raccogliere firme per una proposta di legge sul matrimonio egualitario. E quindi lui con il suo fidanzato di allora, mano nella mano, davanti all'Acropoli, poi i giorni della crisi economica e, sull'acuto finale della canzone, il suo giuramento sulla nuova costituzione greca quando era diventato ministro.

Ulisse spense il televisore. Quanto odiava questo accanimento in Italia, non lo sopportava neppure lì in Grecia.

E gli era anche passato il sonno. Erano solo le sette, mancavano ancora due ore all'appuntamento con Khloe. Certo, se lei non fosse stata lesbica, avrebbe saputo come trascorrerle in maniera piacevole...

O se almeno ci fosse stata sua moglie, si sarebbero potuti svagare un po' col loro rilassante sesso coniugale.

Decise di chiamarla, almeno per dirle che era arrivato sano e salvo a destinazione.

«Ulisse, ciao» gli disse lei in maniera sbrigativa. Poi, rivolta a qualcun altro: «Porta questo plico in saletta, arrivo subito!».

«Impegnata?»

«Eh sì, sai, quel maledetto libro, JT Johnson. Non vedo l'ora che venga chiuso il pdf e mandato in stampa. Così potrò finalmente rilassarmi... Tu, piuttosto, sei arrivato?»

«Sì, ti chiamo da una camera d'albergo con un gigantesco ritratto di Bette Davis sulla parete... Ho appena scoperto che un ministro dovrà dare le dimissioni perché è stato sorpreso in atteggiamenti compromettenti con una donna e...»

«Non penso sia il modo giusto per affrontare questo viaggio» lo rimproverò Sonia. «Anche col mio amico Marco fai sempre così: sei pronto a prendere in giro i suoi lati più bizzarri, ma non apprezzi la sua profondità. Dimmi invece che ti è parso della città, sono curiosa.»

«Non ho ancora visto molto per la verità. Però le periferie di Atene – te le ricordi, no? – sembrano diventate Beverly Hills.»

«Eh?!»

«Giuro! Dimentica i palazzoni scrostati... La periferia di Atene ora è... *chic*!»

«Lo vedi allora che hai già notato qualcosa di buono. Perché non vai a farti un giretto per il centro, invece di stare in albergo a lamentarti?»

La solita Sonia. Sapeva sempre come metterlo in riga.

«Ti lascio alla tua riunione, amore» disse.

Si tolse l'accappatoio di dosso e si infilò un paio di pantaloni e una polo, rigorosamente griffati. Se il gusto che aveva maturato a Milano – che dopotutto rimaneva ancora la capitale della moda... o no? – non lo ingannava, lì ad Atene non avrebbe mai avuto problemi con la Polizia del Buongusto.

Quindi indossò un paio di mocassini – su quelli non avrebbe messo la mano sul fuoco, ma a lui piacevano, quindi li tenne – e si appese al collo i suoi Rayban scuri.

I capelli erano ancora leggermente bagnati, ma con il caldo che c'era si sarebbero asciugati presto.

Uscì dalla propria camera e si mise alla ricerca della Olivia Newton-John. La trovò, dopo essere passato per Marlene Dietricht, Meryl Streep, Cher e Marlon Brando, proprio accanto a quella della Miguel Bosé.

Bussò e qualche secondo dopo Manuel venne ad aprire.

«Che ne dici di un giro?» chiese Ulisse senza preamboli.

«Sì, mi piace la luce del tardo pomeriggio. Ho bisogno solo di un minuto, entra se vuoi.»

La Olivia Newton-John non era neanche lontanamente comparabile alla Bette Davis. Un po' come, cinematograficamente parlando, la biondina di *Grease* non era nulla se paragonata alla stella di *Eva contro Eva*, nominata undici volte agli Oscar e vincitrice di due statuette. In fondo, la

Newton-John, oltre ad aver ballato con Travolta, scatenando le invidie di donne e gay di tutto il mondo, e aver cantato *Physical*, cos'altro aveva fatto?

C'erano un letto alla francese, un frigobar, una tv appesa al soffitto e un bagno che aveva tutta l'aria di essere minuscolo e senza finestra.

D'altronde, però, la star di «X-Style» era lui, Ulisse Amedei, non certo il fotografo. Non doveva sentirsi minimamente in colpa.

Manuel si mise la macchina fotografica intorno al collo e si infilò delle scarpe da ginnastica.

Ulisse sollevò il sopracciglio. Erano scarpe di tela bianche, sporche di terra e lacerate in più punti.

«Ho scritto al mio medico...» disse Manuel intercettando lo sguardo di disapprovazione del giornalista. «Spero mi invii il certificato per indossare le Birkenstock. Queste vanno meglio secondo te?»

Ulisse abbassò gli occhi sulle sue calzature.

«Mi sa che urge un po' di shopping. Non vorrei vederti ammanettato e spedito sull'Isola di Lesbo. Chi me le fa le foto, poi?»

Manuel rise, ma non troppo. Aveva ancora bene impresso nella mente l'urlo che gli aveva rivolto quell'enorme agente lesbica.

«Sì, penso sia il caso...» disse.

E in un attimo erano giù nella hall, a ritirare i loro documenti.

Costa glieli riconsegnò con un sorriso che fece dubitare perfino Ulisse della propria eterosessualità. Si dice per scherzare, ovviamente.

Era davvero un ragazzo bellissimo. Moro, lineamenti dolci e due grandi occhi verdi, con ciglia lunghe e sopracciglia un po' spesse, che li mettevano ancora più in risalto.

Manuel, già timido di natura, davanti a lui sembrava diventare un dodicenne impacciato: prese il documento balbettando qualcosa e non riuscì neppure a sollevare gli occhi.

«Manuel» fece Ulisse, ridendo dentro di sé, come ogni

volta che riusciva a mettere qualcuno in imbarazzo, «perché non chiediamo a Costa dove trovare un buon paio di scarpe qui nei dintorni? Con queste mi sa che la Polizia del Buongusto ti arresta all'istante... non trovi, Costa?»

Il ragazzo allungò lo sguardo oltre il bancone e diede un colpetto di tosse sorridendo.

«Be', qualche pericolo c'è...»

«Più di "qualche", oserei dire» gli fece eco Ulisse, mentre Manuel diventava rosso come la strisciolina di Prada.

«Se gli agenti della Polizia del Buongusto fossero stati solo uomini credo non ci sarebbero problemi: è un ragazzo talmente carino che gli perdonerebbero tutto... Ma giustamente ci sono anche lesbiche: d'altronde c'è un motivo perché sono le migliori agenti del mondo.»

Manuel dal rosso Prada era passato al rosso Valentino.

«Usciti dall'albergo, andate a destra e quindi ancora a destra in Adrianou... scusate, corso Judy Garland. Dopo qualche metro troverete un negozio che a me piace molto. Ditegli che vi mando io.» E allungò un biglietto da visita.

«Corso Judy Garland?»

«Sì, tutti i nomi di strade e piazze sono stati cambiati, qui in Grecia. Ve ne sarete accorti...»

«In effetti sì, ma pensavo si trattasse di eccezioni. Comunque... perché Judy Garland?»

Costa sorrise come si sorride a un bambino che non sa nulla della vita. «Be', Judy Garland è la protagonista di un sacco di musical, tra cui *Il Mago di Oz*, in cui ha cantato *Somewhere Over the Rainbow*, e oltretutto ha una figlia che di nome fa Liza Minelli... è abbastanza da meritare che una delle strade più famose di Atene le sia dedicata?»

Ulisse ci pensò un po' su, poi annuì, poco convinto.

«Grazie, Costa, sei meglio di una guida!»

«Dovere, signor Amedei.»

Manuel, che a mano a mano stava riprendendo il suo colorito naturale, fece un cenno con la testa e un mezzo sorriso.

Possibile che esistessero gay così timidi? si chiese Ulisse, che – vedendo Marco e gli altri amici di Sonia – si era convinto che in genere fossero tutti sboccati ed estremamente rumorosi.

Aveva già notato, in passato, come Manuel non fosse quel tipo di gay, e come fosse invece introverso, ma non pensava fino a quel punto.

«Gli piaci, eh» gli disse quando furono usciti dall'albergo.

«Eh? Chi?» trasalì lui.

«Costa, e chi se no?»

«Non dire stupidaggini» mugugnò Manuel. «E poi, tu che cosa ne capisci di dinamiche gay?»

«Secondo me sono le stesse dinamiche etero. E comunque lui ha detto che sei carino.»

Manuel non rispose, fece un respiro e accelerò l'andatura.

Ulisse lo guardò allontanarsi, poi l'occhio gli cadde su quelle orribili scarpe di tela.

Era il momento di correre ai ripari.

8

Capitolo rosso fragola

Corso Judy Garland un tempo era Odos Adrianou, una stradina con lastroni di marmo che attraversava i quartieri della Plaka e del Monastiraki. Piena di negozietti che per lo più vendevano gadget per turisti e di ristorantini. Era il luogo dove respirare l'Atene più intima e, per alcuni, più vera, e camminando ti capitava di sentire il suono del bouzouky o il profumo di souvlaki di maiale.

Oggi era ancora una strada turistica – affollatissima, i tavolini all'esterno dei bar e dei locali quasi tutti al completo, constatò Ulisse – ma parte dei negozi di paccottiglia e Partenoni in miniatura era stata sostituita da boutique di abbigliamento, librerie, piccole gallerie d'arte e negozi di design. Oltre ad alcune case di moda, come Ferragamo, Bottega Veneta e Vivienne Westwood, c'erano però anche gli atelier di stilisti locali, che parevano piacere molto ai gay hipster o alternativi.

Era in uno di questi che Costa li aveva mandati: lo Strawberry Shoes.

Ulisse e Manuel ci avevano impiegato un po' di tempo a individuarlo. L'entrata era una porta minuscola con una vetrina ancora più minuscola, in cui erano esposti due modelli della nuova collezione. Varcato l'ingresso, si scendeva giù in un seminterrato che, più di un negozio, aveva l'aria di essere un laboratorio – o, per dirla à la Warhol, una factory.

Il pavimento era bianco, e così le pareti, qua e là costellate da fragole rosse. Al centro del locale c'era un tavolone su cui erano posti i modelli: una decina in tutto. Ulisse li osservò. Si trattava di scarpe di tela bianche su cui erano state disegnate, probabilmente a mano, fragole di vari colori e dimensioni. I lacci erano rossi con puntini bianchi e terminavano con una punta di verde.

Lui non le avrebbe indossate nemmeno sotto tortura, anche se vi avrebbe con piacere dedicato un articolo su «X-Style»: erano una di quelle cose che facevano impazzire i lettori della rivista, e in genere i creativi.

«Belle!» esclamò Manuel.

Ecco, come volevasi dimostrare.

In quel momento si palesò una ragazza mingherlina, con i capelli biondo cenere e la pelle olivastra. «Ciao, vuoi provarle?»

Manuel ci rifletté un attimo, probabilmente pensava a quanto gli potessero costare, visto che da nessuna parte era indicato il prezzo.

«Ma sì, provale» lo esortò Ulisse. «Con queste stai sicuro che la Polizia del Buongusto non ti considererà più un bersaglio di prim'ordine.»

«Ah, questo è poco ma sicuro!» scattò su orgogliosa la ragazza. «Abbiamo avuto i finanziamenti del ministero della Moda, a cui presentiamo ogni anno la nuova collezione... altrimenti sarebbe impossibile affittare uno spazio qui in corso Judy Garland.»

Interessante, pensò Ulisse, ecco come il governo sosteneva gli imprenditori locali.

«La concorrenza delle grandi case di moda è molto forte?» chiese indossando i panni del giornalista serio.

«Be', abbiamo due target diversi in realtà. Anche perché i nostri prezzi sono alla portata di tutti. Ma proprio per questo i costi fissi diventerebbero un grave problema senza il sostegno statale.»

All'udire quella notizia, Manuel sembrò rilassarsi di colpo.

«Porto il quarantuno» disse, intromettendosi nel discorso.

«Oh sì, certo» fece la ragazza. «Di quale modello?»

«Mmm...» Manuel scorse con gli occhi le varie fantasie, e alla fine indicò il modello iconico, tela bianca e fragole rosse: «Questo!».

«Benissimo. Te le porto subito.»

La ragazza scomparve nel retro e ritornò qualche secondo dopo con una scatola.

Manuel si tolse le vecchie scarpe da ginnastica e provò le sue nuove Strawberry.

Gli calzavano alla perfezione.

«Ehi, ma... profumano!» esclamò.

La ragazza sorrise. «Un'altra nostra particolarità. E insieme a ogni paio di scarpe ti regaliamo una boccetta di spray deodorante, all'aroma di fragola, ovviamente.»

Ulisse roteò gli occhi. Sì, era proprio una cosa da hipster. Ma quella ragazza era talmente entusiasta che non riuscì a non trovare tutto quel progetto quantomeno simpatico.

In più Manuel era felice e non rischiava di trascorrere i prossimi giorni a scontare chissà quale pena sull'Isola di Lesbo.

«Vuoi tenere il vecchio paio di scarpe?» chiese la ragazza con un'espressione vagamente disgustata sollevandole per le stringhe tutte sfilacciate.

«Neanche per idea!» lo anticipò Ulisse. «Bruciale, per piacere. Non vorrei mai che ce le trovassero addosso.»

«Non le rivedrete mai più!», e con un gesto rapido la ragazza le lanciò dentro un bidone dell'immondizia.

Fuori faceva meno caldo, l'atmosfera era diventata più rilassata e i locali cominciavano a servire l'aperitivo.

Ulisse diede un'occhiata al suo orologio. Erano le otto. Avevano ancora un'ora di tempo, e il loro albergo era dietro l'angolo.

«Vuoi fermarti a bere qualcosa?» propose.

«Mmm... no, però mi sono accorto adesso di una cosa. Ho dimenticato di mettere in valigia i tappi per le orecchie, e senza tappi io non riesco a dormire.»

«Come sai che la tua stanza è rumorosa?»

«Non lo so, in effetti, ma il pensiero che i vicini di stanza possano fare chiasso o che qualcuno giù in strada si metta a parlare nel cuore della notte mi impedirebbe già in partenza di prendere sonno.»

«Certo che sei più fuori di testa di quanto avessi immaginato...» disse Ulisse, che ancora ricordava quante gocce di En aveva preso per salire sull'aereo.

«Eddài, ne ho davvero bisogno, poco più indietro mi è sembrato di vedere un supermercato. Se non hai voglia di accompagnarmi, torna pure in hotel o fermati a bere qualcosa. Io vado.»

«Ok, ok, tranquillo, ti accompagno. Però se vuoi un consiglio, fermiamoci anche a un'erboristeria: una bella camomilla calda, con dentro un centinaio di gocce di valeriana, non ti farebbe male.»

Manuel fece un lieve grugnito. «Simpatico...» disse fra i denti, mentre si avviavano verso il supermercato.

«Dov'era?» chiese Ulisse dopo qualche minuto, facendosi strada fra i turisti che affollavano corso Garland. «Sei sicuro di averlo visto?»

«Ma sì, era proprio qui vicino... ah eccolo!» esclamò Manuel indicando la via che si apriva alla loro destra, via Ellen De Generes, fra una bancarella di borse e cappellini e un bar ad angolo.

Il supermercato era lì, annunciato dall'insegna luminosa con le lettere che si accendevano a intermittenza: DRAGSTORE.

«Certo che i greci conoscono l'inglese peggio degli italiani» commentò Ulisse. «*Drugstore* si scrive con la "u"!»

«Ehm» fece Manuel. «Penso non sia un errore...»

Ulisse guardò lui, quindi l'insegna, quindi ancora lui.

«Non l'ho capita...»

«Entriamo e capirai.»

Dentro, il Dragstore era come un normale supermercato, anche se Ulisse non ne aveva mai visto uno con pavimenti rosa Barbie e con, alle casse – si rese conto con gli occhi sgranati –, solo ed esclusivamente drag queen.

Ah, ecco...

«Avete già la nostra carta fedeltà?»

Accanto a loro, in quel momento si era materializzata una drag con parruccone verde e abito da sirena. In mano aveva una tesserina fucsia col marchio Dragstore: la scritta blu con al centro una macchia di rossetto.

«In realtà siamo solo qui per prendere un paio di...» disse Ulisse.

«Quali vantaggi dà?» domandò invece Manuel.

Certo che era peggio di un genovese, pensò il giornalista.

«Oh, tantissimi!» esultò la drag. «Prima di tutto, potete approfittare degli sconti che vedrete sugli scaffali, riservati ai proprietari della DragCard. In più avrete sempre il venti per cento di sconto sugli articoli del reparto travestitismo: parrucche, cerone, trucchi, ciglia finta, eccetera. E poi c'è la raccolta punti: un punto per ogni dragma spesa. Ecco il catalogo» disse porgendo a Manuel un volumetto che avrebbe fatto impallidire il Catalogo Fidaty dell'Esselunga: dai frullatori alle lampade di design, dai dvd, compresi alcuni evergreen come *Piume di struzzo*, fino alle tovaglie, e però anche parrucche, buoni per scuole di trucco e, in fondo, una doppia pagina con toy erotici. «E in più avrete sconti in un sacco di locali di Atene, ma anche delle nostre isole.»

«Dài, Ulisse, facciamola!» disse Manuel, entusiasta, mentre già prendeva la penna che la drag gli stava porgendo.

«E va bene...» si arrese Ulisse.

La drag estrasse dalla scollatura un'altra penna e gliela porse con un sorriso e uno sbattere di ciglia finte.

In pochi minuti ebbero entrambi la loro DragCard.

«Ora la Grecia è nelle vostre mani. Dragstore è la più diffusa catena di supermercati della nazione» disse la drag voltandosi verso l'ingresso, dove stava arrivando altra gente. «Buona spesa!»

Dentro, gli altoparlanti riproducevano musica anni Settanta-Ottanta ad alto volume. L'atmosfera era tutta decisamente rétro.

Sugli scaffali si trovavano le principali marche internazionali, ma anche numerosi prodotti locali e biologici. Era un piccolo supermercato – fuori città dovevano essercene di enormi, pensò Ulisse – ma quello che c'era sembrava tutto di ottima qualità.

La clientela era variegata: coppie, principalmente gay, alcune con bambini, di tutte le nazionalità, ma anche vecchie signore greche che non avevano lasciato la città dopo la crisi, e ragazzini che giocavano nel reparto travestitismo.

Se una cosa del genere si fosse vista in Italia, qualcuno avrebbe gridato allo scandalo, e il proprietario dei supermercati sarebbe stato costretto a chiudere, linciato dai media. Il motivo: proselitismo gay!

«Dove li terranno i tappi per le orecchie?» si chiese Manuel ad alta voce.

Era nervoso, come mai Ulisse lo aveva visto. Certo che non si conosce mai una persona come quando si viaggia insieme, si disse Ulisse, che prima di quel giorno immaginava il fotografo come un ragazzo tranquillo, pacifico e sereno, pur nella sua timidezza.

«Sicuramente non tra i sughi pronti... proviamo di là.»

«Ma io vedo solo parrucche.»

«Forse accanto ai preservativi. Non li tengono là in Italia?»

«Sì, giusto. Mi scusi, signorina... *Sorry?*» chiese Manuel.

La «signorina» era una drag con tacchi alti quindici centimetri e che quasi sfiorava i due metri d'altezza.

«*Yes?*» disse, e lo indirizzò subito verso lo scaffale giusto.

Accanto a preservativi di ogni foggia e tipologia, gel lubrificanti e toy erotici «di base» – per quelli più articolati, immaginava Ulisse, anche in Grecia c'erano i sexy shop – ecco anche cerotti, disinfettanti, garze, termometri e, nello scaffale più in basso, tappi per le orecchie.

«Eureka!» esclamò Manuel nell'unica parola in greco che conosceva.

E un attimo dopo, sentendosi già più tranquillo, tornò alla sua solita flemma.

Andarono alla cassa, dove si accorsero che il solito *bip* era stato sostituito da un campionamento di *Ring My Bell* di Anita Ward: per ogni *bip* un campanellino. Se la cassiera era abbastanza brava da seguire il ritmo, poteva ricreare la melodia.

Prima di pagare, Manuel consegnò la sua DragCard, che la drag – di nome «Chiquitita B.», come recitava il cartellino che aveva appena sotto la spalla destra – passò sul lettore.

«Signore, è la sua prima spesa! Ha in regalo il nostro kit di benvenuto.» E da sotto la cassa tirò fuori un sacchetto: dentro non c'erano però una bottiglia d'olio, due pacchi di pasta e una passata di pomodoro come alla Coop, ma un rossetto, un mix di spezie afrodisiache e una mascherina in stile *Cinquanta sfumature di grigio.*

«G-grazie» fece Manuel prendendo l'omaggio.

«Bene...» disse Ulisse quando furono fuori. L'aria della sera si faceva sempre più palpabile. «È ancora presto. Beviamoci qualcosa. Offro io.» Non era una domanda.

Andarono al bar all'angolo, dalle cui casse uscivano le note di *Easy Lady* di Ivana Spagna.

«Gran bella musica!» disse Ulisse al cameriere che venne a prendere le ordinazioni.

«Anni Ottanta tutte le sere» rispose lui con un sorriso da un orecchio all'altro. «Almeno si lavora allegri.»

«Non siete gli unici, mi pare di aver sentito passeggiando qua attorno.»

«Eh no, ci sono agevolazioni fiscali per i locali che trasmettono musica anni Ottanta.»

Ulisse sgranò gli occhi. «Interessante...»

«Sì, è un modo per preservare i classici e le vecchie icone. Oggi la concorrenza è spietata, le nuove generazioni amano personaggi come Nicki Minaj e rischiano di non conoscere, che so, i Wham!, i Village People, i Pet Shop Boys, i Blondie...»

«O Heather Parisi, Viola Valentino, Lorella Cuccarini... per i gay italiani, sai...»

Il cameriere strinse gli occhi. «Lorella Cuccarini, dopo le sue affermazioni sui figli in vendita, è nella lista nera, ma

Heather Parisi e Viola Valentino, sì, sono nella nostra playlist, insieme a Patty Pravo, Rettore, Mina, Vanoni...»

«E io che pensavo che la Cuccarini fosse una beniamina dei gay!»

«Forse un tempo» confermò il cameriere. «Ma i gay non dimenticano certe dichiarazioni... Ma così è anche per Dolce & Gabbana. I loro capi sono vietati, qui in Grecia.»

Dolce & Gabbana, ricordò Ulisse, si erano scagliati contro i gay che, secondo loro, comprerebbero dei «figli sintetici». Avevano tentato di scusarsi, ma i gay non si erano lasciati troppo convincere... un po' come era avvenuto con l'affaire Barilla. Non a caso, in nessun Dragstore avresti mai potuto trovare un pacco di pasta del marchio italiano.

«Comunque» disse il cameriere avvicinando le labbra all'orecchio di Ulisse, «c'è un mercato nero, in città, se proprio volete dei capi D&G.»

Il giornalista sollevò le sopracciglia. Questa sì che era una cosa da raccontare in Italia...

Poi, come se quella conversazione non fosse mai avvenuta, il cameriere si sollevò. «Cosa bevete?»

Ulisse e Manuel si guardarono, indecisi.

«È il primo giorno di vacanza?» chiese il cameriere.

«Non è una vacanza, in realtà... ma, be', insomma, sì, è il nostro primo giorno qui ad Atene» disse Ulisse.

«Allora faccio io. Fidatevi.»

Cinque minuti dopo, il ragazzo era di ritorno con due bicchierini di ouzo, il liquore d'uva aromatizzato all'anice tipico greco, e un vassoietto con olive e feta.

«Benvenuti in Grecia, *signori*» disse pronunciando l'ultima parola in italiano, e tornò dentro al locale.

Ulisse e Manuel sollevarono i bicchierini e li fecero tintinnare.

Ulisse sentì l'ouzo scorrergli lungo la gola e lo mandò giù tutto d'un sorso.

«Delizioso! Da quanto tempo non lo bevevo! Ne prendiamo un altro?»

Manuel incassò la testa nelle spalle. «Non saprei. Forse

è meglio se ci tratteniamo. Stiamo per andare a cena con un ministro, no?»

«Be', ma è il ministro delle Icone... non penso che essere sobri sia necessario.» Ulisse sollevò la mano e urlò in direzione del cameriere: «Un altro giro!».

Al terzo ouzo cominciò a parlare di donne. Il suo argomento preferito. Ma anche di uomini.

«Secondo me con quel Costa ci potresti provare... Se il receptionist fosse una bella donna, io non ci penserei due volte...!»

«Ma tua moglie?»

«Una moglie è una moglie. E comunque non cambiare discorso. Non puoi essere così timido coi ragazzi, forse un altro ouzo...»

Manuel scosse la testa. «No, no, meglio di no.»

«Guarda, se non ci provi tu, ci provo io!»

Manuel sgranò gli occhi.

«Intendevo dire...» disse Ulisse ridendo, ormai decisamente alticcio «che vi presento io... Cosa avevi capito?»

Manuel sollevò le mani. «Certo non volevo mettere in dubbio la tua mascolinità! Comunque, Costa è un bel ragazzo, non c'è dubbio, ma non penso di interessargli...»

«Se pensi di non valere, allora non vali.» Ulisse con l'aria del saggio mandò giù l'ultimo sorso di ouzo.

«Ti invidio...»

«Me? E perché?»

«Sei così sicuro di te. E sembra sempre che ti stai divertendo come un matto...»

«Mi godo la vita.»

«Appunto.»

Ulisse lo scrutò, facendosi serio. «Tu no?»

«Solo qualche volta...» mormorò Manuel, portando di nuovo il bicchierino alle labbra.

«Forse osservi troppo...»

«Deformazione professionale» sorrise Manuel.

Ulisse si stiracchiò. Si sentiva perfettamente rilassato. Come sempre, in passato, quando era venuto in Grecia. Probabilmente c'era qualcosa nell'aria. Era una nazione straordinaria, in cui si percepiva un'energia magica.

Avrebbe volentieri trascorso l'intera serata a bere ouzo e a mangiare quadratini di feta. Però erano le nove meno dieci. «Andiamo?»

«Meglio di sì, dobbiamo anche cambiarci, no?»

«Direi... Non penserai di venire alla cena col ministro indossando le tue scarpette alla fragola, vero?»

«Simpatico davvero... come al solito. Comunque, ho un abito e delle scarpe eleganti, Riccobono mi aveva avvertito che avrei potuto averne bisogno.»

«Ah, Riccobono! Domattina mi toccherà mandare il primo articolo per il sito di "X-Style"... altrimenti chi lo sente?»

9

Capitolo oro

Nella hall dell'albergo, Ulisse non riusciva a credere ai suoi occhi. E non era colpa dell'alcol. Khloe era semplicemente mozzafiato.

Smesso il suo tailleur color petrolio, indossava un abito da sera azzurro, lungo fino alla caviglia. Le spalle erano coperte da una stola leggerissima e in mano aveva una pochette blu di pelle. I capelli adesso erano raccolti e il suo sguardo ancora più magnetico, grazie a un trucco che sembrava opera di un make up artist.

«Buonasera» esordì Ulisse. «È davvero bellissima...»

Khloe lo fissò per un istante. «Anche lei non è male.»

Ulisse era in abito nero, attillato, camicia bianca e Rolex al polso. Sì, era un uomo affascinante. E lo sapeva.

«Grazie» rispose senza staccare lo sguardo dalla ragazza. Lesbica o no, doveva essere sua.

Alle loro spalle comparve Manuel.

Quando lo vide, Ulisse non poté fare a meno di tossicchiare per l'imbarazzo. E quelli erano i «vestiti eleganti» che si era portato? Oppure era talmente ubriaco di ouzo che non era riuscito a mettersi bene a fuoco nello specchio?

Più che l'invitato alla cena di un ministro sembrava un giovane professorino di campagna pronto ad andare alla messa della domenica: giacca a quadri anni Settanta – probabilmente comprata per cinque euro a una bancarella di vestiti usati – , pantaloni grigi a costine e mocassini ai piedi.

«Vuoi forse farti arrestare dalla Polizia del Buongusto?!» sbottò Ulisse.

«P-perché?»

Khloe si lasciò sfuggire una risatina. «Il ministro delle Icone *potrebbe* anche apprezzare... anche se il dress code della serata non è proprio il vintage...»

Manuel non sapeva più dove guardare.

Ci pensò Costa, emergendo dal bancone della reception, a salvare la situazione.

«Il mio coinquilino è più o meno della tua statura... e lui è fissato con la moda.»

Manuel abbozzò un sorriso.

«Costa, se non esistessi dovrebbero inventarti!» esclamò Ulisse, che già temeva per la figuraccia che avrebbe fatto lui come giornalista, ma anche «X-Style» come testata e l'intera Italia come nazione.

«Be', grazie...» disse il ragazzo abbassando un istante lo sguardo.

«Se ci aspettate qualche minuto, porto Manuel su a casa e gli faccio scegliere qualcosa. Abito giusto qui dietro in corso Paolo Poli e sono sicuro che il mio coinquilino non avrà nulla da ridire se saprà che i suoi vestiti entreranno nientemeno che a Palazzo Oscar Wilde. Magari» aggiunse rivolgendosi verso Khloe «fategli avere un autografo del ministro. Lui la *adora*!»

Ulisse pensò ai ministri del governo italiano e al seguito che avevano nella nazione. Si chiese come fosse possibile che un cittadino greco addirittura *adorasse* un ministro. Ora sì che era curioso di conoscerla.

«Vedremo di fare il possibile...» rispose Khloe tornando glaciale. «Però ora fate in fretta. Qui in Grecia arrivare in ritardo non è poi tanto chic come in Italia!»

Costa andò a chiamare una collega, che lo sostituì alla reception, e poi, prendendo Manuel per la mano, sparì oltre la porta a vetri dell'ingresso.

Khloe e Ulisse rimasero da soli.

«Sarà meglio che ci accomodiamo» disse la ragazza, prendendo posto su una poltrona rossa da cinema.

Ulisse si sedette di fronte a lei. Aveva la testa ancora un po' intorpidita dai troppi bicchierini di ouzo. Non era stata una mossa intelligente alzare il gomito a quel modo. Specie prima di una cena ufficiale.

«Allora, come si trova qui ad Atene?»

«Non saprei.»

Khloe si accigliò.

«Non in senso negativo!» si affrettò a dire Ulisse. «È che ci sono stato anni fa, e ho dei bellissimi ricordi. Trovare tutto così cambiato mi destabilizza un po'.»

«All'inizio ha destabilizzato anche molti dei greci rimasti.»

«Posso immaginare.»

«Ma si vive meglio, *molto* meglio, glielo posso assicurare. Il periodo della crisi e quello immediatamente successivo sono stati veramente terribili, per il popolo greco. Non so dove saremmo finiti senza la Pink Economy. Ma se vuole respirare un po' della "vecchia" Grecia la troverà molto di più al di fuori di Atene, nei paesini e in alcune isole.»

«Esattamente come in Francia, Italia e così via...»

«Esatto. La Grecia, in fondo, non è poi così speciale.»

«La sua famiglia vive ad Atene?»

«No, nella Tessaglia.»

«E come mai è venuta qua?»

«Per studiare. Come tanti, speravo di diventare qualcuno. Nel mio paese, Trikala, non c'erano poi molte prospettive...»

«E lo è diventata, mi sembra» disse Ulisse, contento che la conversazione con Khloe si stesse facendo sempre più intima.

Ma la ragazza si ritrasse subito: «Non stavamo parlando di me, però. Lei non ha curiosità? Domani abbiamo in programma un lungo tour, si prepari».

«Non vedo l'ora. E soprattutto sono ansioso di conoscere qualcuno degli esponenti del governo. Sono molto amati, a quanto sembra.»

«L'indice di popolarità è alle stelle. Pensi che deteniamo

un record mondiale, e questo mi rende estremamente orgogliosa.»

«E cosa mi può dire del ministro delle Icone? Che tipo è?»

Khloe sorrise. «Lo scoprirà presto. Non voglio anticiparle nulla...»

«Facciamo la misteriosa, eh?»

«È lei il giornalista, no? Io ho il compito di accompagnarla, spetta a lei farsi un'idea.»

In quel momento la porta a vetri dell'Hotel Almodóvar si aprì, e Costa entrò insieme a un ragazzo vestito con un completo gessato alla moda in cui per un secondo Ulisse fece fatica a riconoscere Manuel.

«Avete visto quanto è figo, adesso?» disse Costa.

«Concordo» disse Ulisse. «E dei vecchi abiti che ne avete fatto?»

«Sono dove meritano di stare.»

«Me li ha fatti buttare in un cassonetto» mormorò Manuel.

«Mi sembra una scelta molto saggia!» approvò Khloe.

«Allora, tutti pronti? L'autista ci aspetta.»

Palazzo Oscar Wilde era una residenza poco fuori dal centro di Atene, circondata da un giardino all'inglese illuminato appena da alcuni lampioni liberty e dalla luce proveniente dalle portefinestre che si affacciavano dai terrazzi posti sul lato anteriore dell'edificio.

Per arrivare all'edificio, una imponente costruzione a ferro di cavallo, si percorreva una strada acciottolata di qualche metro di larghezza che arrivava dritta fino al portone di ingresso.

«Mi dia una mano, per favore» disse Khloe aggrappandosi al braccio di Ulisse. «I tacchi nei sassi non sono il massimo. Per fortuna che in città le donne e le trans sono riuscite a far approvare al consiglio comunale l'istituzione, accanto alle piste ciclabili, di corsie preferenziali per chi porta i tacchi. Purtroppo qui nel giardino del palazzo non ce n'è ancora una.»

«Così almeno abbiamo una scusa per stare vicini» sussurrò lui con la sua voce più seducente.

Khloe non raccolse e proseguì decisa verso il palazzo. Manuel li seguiva a qualche passo di distanza.

All'entrata un valletto in una livrea rosso sgargiante li salutò con deferenza e gli fece segno di entrare.

L'interno era decisamente sfarzoso, perfino troppo, sembrava di stare in una puntata di «Downtown Abbey»... ma quella non era l'Inghilterra, era la Grecia, e a Ulisse sorse, spontanea, una domanda:

«Ma è tutto autentico?»

«Forse qualche candelabro...» rispose Khloe. «La nostra ministra è un'appassionata di *modernariato*. Colleziona di tutto, e la sua casa la rispecchia... se poi in giro non trova quello che sta cercando, be', allora se lo fa costruire. Tutto quello che vede, insomma, è imitazione.»

«Come l'attrazione di un parco a tema...»

«Non sarei così crudele, però sì, a volte qui a Palazzo Oscar Wilde sembra davvero di stare a Disney World. Non so quanto ne sarebbe stato contento Wilde...»

Seguendo le indicazioni di un maggiordomo ancora più in tiro del valletto all'ingresso, entrarono nel salone della festa.

Ulisse fu sorpreso da un immenso lampadario di cristallo alto due o tre volte lui che sovrastava un salone in stile principessa Sissi. Ma non era il valzer la musica che si sentiva in sottofondo.

Se non si stava sbagliando qualcuno stava cantando dal vivo, e non era un qualcuno qualsiasi. Su un piccolo palco a un'estremità del salone, al di là di tavoli rotondi apparecchiati a dovere e a cui già qualcuno aveva preso posto, c'era nientemeno che Tina Turner, che intonava a squarciagola *The Best*. Certo che il tempo sembrava non passare davvero mai per lei...

«Neanche quella è autentica» gli sussurrò Khloe nell'orecchio come se gli avesse letto nel pensiero.

«Eh?»

«È una sosia... e non sarà l'unica che vedrà stasera. Si prepari a conoscere "dal vivo" alcune tra le più importanti icone gay della storia.»

Ulisse si guardò in giro. Tra gli invitati, riconobbe una Madonna primo stile, con evidente spazio vuoto fra gli incisivi, Cher, gambe lunghissime e zigomi gonfi come palline da tennis, ma anche una fascinosa Dalida, dietro la quale non riusciva bene a capire se ci fosse un uomo o una donna.

La più appariscente di tutte era però una che non fu in grado di riconoscere a una prima occhiata. Abbronzatissima, trucco decisamente pesante, orecchini grandi come sottotazzine verde smeraldo, in pendant col vestito, e alle mani – con cui continuava a gesticolare – anelli non meno voluminosi. Ma il pezzo forte era la capigliatura, e in particolare un toupet che dava alla sua statura almeno quindici centimetri in più. Era un misto fra Moira Orfei e Aretha Franklin. Non riusciva a dire se la trovasse elegante, ironica o esagerata, o tutte e tre le cose insieme. Certo era che attirava l'attenzione.

«E quella chi sarebbe?» chiese Ulisse. «Mi sembra la più *icona* di tutte... se "icona" può a volte anche significare "baraccona", come mi sembra di capire.»

Khloe serrò la bocca, come per impedirsi di ridere. Poi disse: «Quella è Sabrina Grivas, il ministro delle Icone».

Ulisse spalancò gli occhi.

Manuel, di fianco a lui, era in adorazione. «Cavolo, è proprio... un'icona» mormorò, abbastanza perché Ulisse potesse sentirlo.

«Si prepari a conoscerla» disse Khloe, dirigendosi verso la donna.

Quella si girò: sui cinquanta, forse sessant'anni, aveva ciglia lunghissime, probabilmente finte, e un rossetto rosa che accecava. Quando vide Khloe le disse qualcosa in greco che Ulisse non poté capire, poi gli gettò uno sguardo addosso e i suoi occhi parvero illuminarsi.

«*Carissimo!*» esclamò in italiano venendo nella sua direzione, le mani tese per afferrare le sue. «Benvenuto» aggiunse in un inglese dal forte accento greco.

Ulisse le prese le mani e gliele strinse. Le sue narici furono raggiunte da una nuvola di profumo. «La ringrazio, signora ministro.»

«Chiamami Sabrina e non ne parliamo più» disse posandogli la mano sull'avambraccio. «Sai, ho una vera e propria passione per l'Italia. Mi dispiaceva non aver incontrato neanche un giornalista italiano fino a ora!»

Passò un cameriere con un vassoio di flûte colmi di champagne.

«Servitevene tutti!» esclamò Sabrina gioiosa. «Questo brindisi sia per il nostro... scusa, già non ricordo il tuo nome...»

«Ulisse. Ulisse Amedei.»

«Un nome perfetto per un viaggio in Grecia!» disse strizzandogli l'occhio.

Le persone che la circondavano – alcune delle quali personaggi alquanto sopra le righe, fra cui la sosia di Gloria Gaynor – scoppiarono a ridere.

«A Ulisse, allora! A Ulisse!»

Anche Khloe e Manuel bevvero con loro.

Lo champagne era delizioso. Certo che il ministro delle Icone sapeva come godersi la vita, pensò Ulisse.

Quella festa già gli sembrava fantastica. Erano bastati alcuni attimi e aveva riassaporato le atmosfere degli appuntamenti mondani milanesi, di cui era diventato una sorta di presenzialista.

Tra gli invitati di Sabrina – come lei, gli specificò più volte, voleva assolutamente essere chiamata – c'erano diversi notabili greci, tra cui parlamentari, ministri, importanti cattedratici, e persino esponenti della Chiesa Greca Arcobaleno, risultato di uno scisma avvenuto poco dopo l'instaurazione della nuova Repubblica, e già chiaramente bersaglio di scomunica da parte del Vaticano.

In Grecia i fedeli non erano ancora tantissimi ma, di anno in anno, quella nuova religione stava prendendo sempre più piede e trovando nuovi adepti.

«Secondo noi» gli spiegò il cardinal Kozma, un uomo segaligno con un grosso ciuffo biondo che dalla fronte gli arrivava a sfiorare il mento, «le cose non vanno come ci vuole raccontare la Chiesa cattolica...»

«Oddio!» esclamò Sabrina roteando gli occhi. «Ora comincia con un'omelia...»

«Prima o poi riuscirò a convertire anche te» disse il cardinale scuotendo il ciuffo.

«Quando ci riuscirai, vorrà dire che già tutto il mondo sarà convertito» tagliò corto lei, ma Ulisse era curioso, voleva saperne di più.

«E come andrebbero, invece... le cose?» domandò.

«La Chiesa cattolica ha ragione su una cosa» rispose il cardinal Kozma congiungendo le dita, «esistono sì, il Paradiso e l'Inferno. Ma secondo noi solo i gay meritano, agli occhi di Dio, il Regno dei Cieli. Gli eterosessuali, invece, andranno tutti all'Inferno, a meno che, ovviamente, in vita si astengano dall'avere rapporti con persone del sesso opposto.»

«Sul serio?»

Il cardinale scoppiò a ridere. «Ma no, ovviamente scherzavo! La nostra è una Chiesa inclusiva, che va alla radice profonda del messaggio evangelico!»

«Ah, dicevo...» Ulisse sollevò un sopracciglio. «Le posso fare una domanda delicata?»

«È un giornalista, è il suo mestiere.»

«Cosa pensa dei figli di coppie omosessuali?»

«Be', le dico una cosa soltanto: consideri il crollo incredibile degli aborti. Qui in Grecia, tra la popolazione omosessuale, siamo allo zero per cento. I figli di coppie gay, infatti, sono tutti voluti. Ecco come il disegno di Dio si realizza davvero!» Il suo tono si era fatto sempre più enfatico: sembrava un predicatore in odore di Crociate.

«Sì... giusto...» disse lentamente Ulisse. A questo non aveva mai pensato.

Da quando era arrivato lì ad Atene non faceva che alternare emozioni diverse: da una parte la nuova Grecia era una nazione all'avanguardia, in cui si respirava un clima di positività e di allegria, dall'altra c'erano alcuni estremismi che gli parevano superare la soglia dell'assurdità. Come la Polizia del Buongusto. E già pensava al modo in cui parlarne nei suoi articoli: doveva essere tagliente e spietato come al suo solito, oppure – dal momento che era ospitato ufficialmente dal governo – doveva cercare di mostrarsi più morbido? Dopotutto, la Grecia – gay o non gay che fosse – era una nazione come tutte le altre, lo aveva detto anche Khloe: con i suoi pro e contro. Forse con più pro, in questo momento. Ma anche i problemi non mancavano.

Ulisse decise che ci avrebbe pensato più tardi: ora voleva solo divertirsi e conoscere altre persone. E bevve d'un sorso quel che restava del suo champagne, mentre sul palcoscenico Tina Turner aveva lasciato il posto a una Patty Pravo che cantava *Bambola*.

«Conoscete Patty Pravo?» Manuel prese per la prima volta la parola nella conversazione.

«Ma certo, tesoro» disse Sabrina. «Il nostro ministero studia le icone gay di tutto il mondo, con particolare attenzione a quelle italiane, visto il gran numero di tuoi compatrioti che vivono qui. Patty Pravo, Mia Martini, Loredana Berté... fino a Mina. Il compito del nostro ministero è sancire chi è un'icona gay e chi no, e poi promuovere queste icone fra le nuove generazioni, che magari si scatenano sulla musica di Beyoncé o di Katy Perry ma non sanno chi sia... che so, Diana Ross.»

«Ora voglio capire» si intromise Ulisse.

«Sì!» disse Sabrina. «Sono qui per rispondere a tutte le tue domande.»

«Cosa fa di una persona un'icona gay?»

«Eh...» fecero in coro i partecipanti di quella conversazione, come se fosse una domanda che gli fosse stata rivolta già milioni di volte.

«Prima sediamoci a tavola... sarà un lungo discorso» disse Sabrina. «Voi» aggiunse indicando Ulisse, Manuel e Khloe «ovviamente siete al tavolo con me.»

Mentre camerieri che sembravano modelli di Versace quando ancora Versace aveva bei modelli, portavano a tavola antipasti di pesce che al solo guardarli facevano venire l'acquolina in bocca, Ulisse fece la conoscenza delle altre persone al tavolo con loro.

Si trattava di alcuni rappresentanti dei diversi gruppi parlamentari.

La Camera era composta da diverse correnti, tutte interne al grande partito Orgoglio, che andavano dai Bear ai Fashion Victim, dagli Sportivi ai Nerd, ai Daddy, dai Twink agli Hipster, fino ai Leather, alle Lesbiche (a loro volta divise in correnti) e ai Transessuali di ogni gender.

Tutti appoggiavano il governo – la coalizione di maggioranza aveva il 75 per cento dei voti –, ma non mancavano accese discussioni. Fuori da quella maggioranza rimaneva il gruppo Vecchia Grecia, al 20 per cento, che raccoglieva i voti dei greci che non avevano lasciato la loro terra dopo il default, e un gruppo di No Gay, al 5 per cento.

«Ma stiamo cercando di sanare questa piaga...» disse il deputato Bear, facilmente riconoscibile anche per un non esperto in materia come Ulisse. «Abbiamo istituito dei corsi di rieducazione per omofobi. Abbiamo depositato noi stessi la proposta.»

«Non prenderti il merito! Sai benissimo che i primi a proporre corsi di rieducazione siamo stati noi!» si intromise quello che si era presentato come il capogruppo dei Fashion Victim.

«Quelli erano soprattutto corsi di rieducazione alla *moda*!»

«Mi sembrano altrettanto importanti. E non farebbe male neppure a te seguirne qualche incontro, visto il modo in cui vai in giro vestito!»

Il Bear indossava un camicione bianco portato fuori dai pantaloni, con sopra una giacca blu che gli si fermava sopra il didietro piuttosto voluminoso. Il Fashion Victim – inutile dirlo – era vestito di tutto punto, praticamente scintillava.

«Sempre a litigare voi due...» disse Sabrina. «Ma in realtà vi amate alla follia, secondo me! Sbaglio?»

Il Fashion Victim strinse gli occhi. «Non fanno che dirmi che gli opposti si attraggono, ecco perché sono così terrorizzato dal fatto di essere favoloso!»

«Credici...» sibilò il Bear, portando alla bocca dei calamari in umido.

«Ognuno ha spazio nel mondo» aggiunse lo Sportivo, che in onore al suo gruppo, sotto il completo elegante portava un paio di Nike all'ultimo grido.

«Sottoscrivo» aggiunse il Leather, che indossava una cravatta di pelle.

«Ma questa è una saggezza che si acquisisce solo con gli anni» rispose il deputato dei Daddy, ponendo fine a una discussione che, a giudicare dalla sua espressione, lui reputava insulsa.

«Piuttosto...» riprese Ulisse «parlavamo delle icone gay. Qualcuno mi spiega come si diventa un'icona gay?»

Di nuovo i presenti fecero un grosso sospiro.

«Argomento difficile...» disse Sabrina «e pensa che c'è chi farebbe carte false per diventarlo. Non è raro che dei nostri funzionari subiscano pressioni piuttosto forti da parte di aspiranti icone gay. Ci sono veri e propri tentativi di corruzione.»

«Addirittura?»

«Quando sei icona sei icona. E sarai adorata... per l'*eternità*! E quindi guadagnerai molto denaro per qualunque cosa tu farai a vita, scusa la volgarità.»

Ulisse continuava a essere perplesso. «Vorrei capire... cos'hanno in comune Lady Gaga e Mia Martini?»

«Apparentemente nulla, in effetti... la creazione di un'icona non è un processo poi così semplice. Un'icona ha prima di tutto uno stile molto forte, qualsiasi esso sia, una personalità unica ma allo stesso tempo ingombrante... a volte si tratta di donne molto androgine o al contrario donne molto femminili, spesso con vite sentimentali tumultuose. Una delle prime icone gay, non a caso, è Giovanna d'Arco! Le icone gay, infatti, non sono solo quelle del mondo dello spettacolo: Gertrude Stein, per esempio, la famosa scrittrice e poetessa statunitense, è un'icona gay. E così la pittrice Frida Kahlo. Ma pure Andy Warhol, ovviamente, e il genio della matematica Alan Turing. Ah, e anche Virginia Woolf.»

«Posso essere onesto? Non ci capisco nulla...» ammise Ulisse. Allora le icone gay non erano solo le «baraccone», come pensava lui.

«Non c'è niente da capire... c'è solo da *sentire*. Anche molte icone gay lo sono diventate loro malgrado, senza che abbiano mai fatto affermazioni a favore della causa Lgbt.» Ulisse era sempre più confuso. «Forse ci capirò di più con qualche esempio. Elizabeth Taylor può essere considerata un'icona gay?»

«Ma certo! Col suo trucco splendido... e in più con le sue affermazioni a favore dei diritti dei gay!»

«Edith Piaf?»

«Ovvio!»

«Andiamo un po' più sul contemporaneo... Rita Levi Montalcini?»

Dal tavolo si sollevò un mormorio di approvazione.

«Una donna dal carisma eccezionale, di un'intelligenza straordinaria in tutti gli ambiti della scienza e della vita...» disse la capogruppo delle Lesbiche Lipstick.

«E con una capigliatura... *deliziosa*!» aggiunse il Twink.

«Un toupet che sfidava la gravità!»

«Immaginavo» disse Ulisse. «Rimanendo in Italia... Heather Parisi?»

«Non siamo ai livelli della Piaf... ma sì! Heather è nei nostri elenchi. Poi, ultimamente, al contrario della Cuccarini, si è sempre esposta a favori dei diritti Lgbt: un posto lo merita di sicuro.»

«Come Barbara d'Urso?» chiese Ulisse, per poi buttare giù un bicchiere di vino.

Sabrina tossicchiò. «A volte non basta lanciare dichiarazioni per diventare un'icona gay... ma di sicuro lo apprezziamo.»

«Comincio a capire...» fece lui, che invece si sentiva sempre più ubriaco. Tra l'ouzo scolato all'aperitivo e lo champagne di prima, stava davvero cominciando a perdere la bussola. «Prendiamo Khloe!» disse all'improvviso. E tutti si voltarono verso di lei.

La ragazza arrossì serrando le labbra.

«Secondo voi lei potrà mai diventare un'icona gay?»

Anche Sabrina mostrava di essere sempre più alticcia.

«Troppo precisina, la ragazza... anche se tutti noi la adoriamo, vero?»

I vari rappresentanti dei gruppi parlamentari gridarono un «Sì!» in coro.

«Però è fin troppo elegante, fin troppo pettinata, e sempre così... *professionale*» aggiunse la rappresentante delle Lesbiche Butch.

«La professionalità è un pregio» intervenne il deputato degli Executive, i gay sempre in giacca e cravatta.

«Sì, ma secondo me» disse Ulisse «Sabrina è più destinata a diventarlo. Il primo ministro della storia a essere consacrata icona gay!»

«Ah...» sospirò Sabrina voltandosi verso Ulisse «questo non scriverlo nei tuoi articoli, mi raccomando! Sono pur sempre un ministro, anche se oggi, per tutti voi, sono un'amica. Ma il ministero delle Icone è una cosa seria: si tratta di portare avanti, qui e in tutto il mondo, personaggi che hanno fatto grande la storia, e che rischiano di essere dimenticati.»

«Messaggio ricevuto!»

A quel punto Ulisse si girò verso Khloe, che mangiava in silenzio e con un'espressione seria, per non dire incazzata.

Se l'era presa per quella storia dell'icona? Certo che era suscettibile... In fondo, cosa aveva detto di male?

E poi, era vero: qualche sorriso in più non le avrebbe di certo fatto male. Sarebbe stata ancora più bella.

Forse era anche colpa dell'alcol, ma quella sera avrebbe fatto di tutto per portarsela a letto.

Cercò di rimediare: «Magari Khloe non diventerà mai un'icona gay, ma un giorno sarà anche lei ministro».

«Sì! Sì!» Ormai al tavolo erano tutti ubriachi. Perfino Manuel sembrava in un altro mondo.

Soltanto Khloe manteneva un certo contegno. E la battuta di Ulisse non riuscì a strapparle nemmeno un sorriso.

«Quale ministero potrebbe dirigere?» buttò lì il Bear.

«Per il ministero della Moda dovrebbe essere un po' più audace secondo me» disse il Fashion Victim.

«Però magari sarebbe perfetta per quello degli Etero! Gestire i rapporti con gli altri Stati non dev'essere facile, ci vuole una persona *seria*» soggiunse l'Hipster.

«Mi sembra sempre che usiate la parola "seria" per dire "noiosa"» disse Khloe, ancora più infastidita di prima. Evidentemente non le piaceva stare al centro dell'attenzione.

«Ma no, cara! Vuol dire che sei affidabile!» cercò di sdrammatizzare Sabrina. «E poi una donna è quello che ci vuole per il ministero degli Etero: avete sentito cos'è successo con Mikalis Harakis. Quello che è accaduto è molto nocivo per l'immagine del nostro governo.»

«Sì...» disse l'Executive con aria composta.

«Senza contare che tutto questo mette a rischio il prezioso lavoro del dipartimento della Civilizzazione...»

«Di che si tratta?» Ulisse non vedeva l'ora di cambiare discorso. Aveva capito che Khloe non amava stare al centro dell'attenzione, e che tutte le battute che aveva fatto nel corso della serata stavano solo rendendo più remota la possibilità di conquistarla e farle decidere di cambiare, almeno per una sera, sponda.

«È un dipartimento in seno al ministero degli Etero che si occupa di promuovere e supportare e far conoscere iniziative pro-gay nei Paesi stranieri.»

Sabrina, tornando seria nonostante gli occhi velati dall'alcol, spiegò che il dipartimento disponeva di un vero e proprio osservatorio che monitorava la situazione dei diritti Lgbt nel mondo. L'osservatorio aveva intervistato numerosi omosessuali in ciascun Paese chiedendo loro come la società li vedeva, se si sentivano a loro agio in pubblico e quanto erano soddisfatti della propria vita. Aveva così stilato una classifica che vedeva al primo posto l'Islanda, seguita dalla Norvegia, dalla Danimarca e dalla Svezia.

«L'Italia, o meglio la Repubblica Italo-Vaticana, è al quarantesimo posto... una vergogna per essere uno dei

Paesi d'Europa! E non sai quanto mi spiace, visto che anche io ho origini italiane...»

«Quindi Sabrina non è un nome d'arte?»

La ministra scoppiò in una risata fragorosa. «No, no! E in onore di chi pensavi che lo avessi scelto?»

Ulisse era indeciso se dire la Audrey Hepburn del film di Billy Wilder o Sabrina Salerno, anche se la risposta più giusta sarebbe stata un mix fra le due. Preferì, quindi, sorvolare.

«A questo non ci avevo pensato, ma ora mi sento ancora più vicino a te!»

La cena proseguì portata dopo portata, bicchiere dopo bicchiere, discorso dopo discorso, sosia dopo sosia ad alternarsi sul piccolo palco: Kylie Minogue, Whitney Houston, Grace Jones, Aretha Franklin, Bette Midler, Orietta Berti fino ad Anna Vissi, la grande cantante greca considerata la Madonna ellenica.

A un certo punto Ulisse, ormai completamente ubriaco, si guardò intorno e non vide più né Khloe né Manuel. La cena era finita e, non si ricordava bene come, era finito su un terrazzo insieme a Sabrina. Neanche lei aveva l'aria di essere tanto sobria.

Stavano fumando una sigaretta, e lei era appoggiata coi gomiti alla ringhiera.

Il rumore della festa al piano di sotto arrivava attutito, e Sabrina ora sembrava più sobria, più nel suo ruolo istituzionale.

Ulisse la osservò. Era una donna appariscente, e molto piacente per la sua età.

Per un momento pensò che non era mai stato a letto con un ministro in vita sua, e che quella poteva essere l'occasione per segnare un'altra tacca nella sua carriera di sciupafemmine.

Ma no... non voleva concludere la sua serata con la ministra. Non saliva mai – o quasi – sopra i quarant'anni.

«Allora, che ne pensi di questa cena? Siamo stati un po' troppo chiassosi? Perdonami, ma una festa è pur sempre una festa, seppure a casa di un ministro.»

«Una serata bellissima» disse, o meglio bofonchiò, Ulisse. «E grazie per la tua ospitalità.» Era ubriaco come poche volte nella sua vita, e un po' si vergognava: era mai possibile ubriacarsi di fronte a un ministro della Repubblica? «Grazie a te per aver accettato l'invito. E grazie per quello che farai in Italia con il tuo lavoro. Ci sono icone che tanti italiani non conoscono: è giusto che si riaccenda il fuoco della loro memoria. Se in questi giorni vuoi chiamarmi per avere altre informazioni, non esitare.» E Sabrina gli consegnò il proprio biglietto da visita.

Ulisse lo infilò nella tasca dei pantaloni.

Sabrina poi sollevò il bicchiere che teneva in mano. «Brindiamo allora!»

Il giornalista accorse di avere ancora tra le dita un bicchiere: champagne, vino, spumante, vodka... alcol puro? Non lo sapeva neppure più.

«Sì, brindiamo!»

Quando ebbe bevuto l'ultimo sorso, la testa gli girò forte e la vista gli si fece confusa. Aveva davvero esagerato.

Poi arrivarono i conati di vomito. Con gli occhi sbarrati si scusò con Sabrina e corse verso l'interno di Palazzo Oscar Wilde, mentre la voce della ministra gli arrivava ovattata alle orecchie: «Ulisseee!!!».

Cercò il bagno, ma non riuscì a orientarsi per i corridoi e le stanze.

Alla fine, riuscì a emergere all'aperto. Sentiva i ciottoli della strada d'ingresso sotto le suole, e il loro rumore era come ingigantito. Arrivò fino alla grande statua rappresentante Oscar Wilde che si ergeva nel piazzale del palazzo e lì, esausto, si accasciò a terra.

Poi, il buio.

10

Capitolo verde

«Su, si svegli, non più così giovane amico...»

Ulisse riaprì lentamente gli occhi. Chi gli stava rivolgendo la parola?

Era una voce gentile, garbata, come d'altri tempi.

Si guardò attorno ma non vide nessuno.

E, soprattutto, dove si trovava adesso? C'erano solo buio e nebbia, a perdita d'occhio, mentre gli unici rumori che sentiva erano lontani, ovattati, come in un sogno.

«Dove mi trovo?» chiese.

«Siamo ad Atene, mio buon amico...»

«Atene... sì... giusto... ma lei chi è?»

Ulisse si voltò e, finalmente, lo vide. Un uomo sulla quarantina, coi capelli lunghi portati con la riga in mezzo, lineamenti dolci e un elegante cappotto col collo di pelo, con appuntato un curioso garofano verde.

Lo aveva già visto da qualche parte, ma non riusciva a ricordare dove. Così come ricordava poco, pochissimo delle ore appena trascorse.

Cosa ne era stato della cena con la ministra? E della ministra?

Pian piano i contorni dei suoi ricordi si facevano sempre più definiti. Anche se mancavano dei tasselli importantissimi nella successione degli eventi.

In che modo era andato via da Palazzo Oscar Wilde? E perché si era addormentato?

Si sollevò faticosamente in piedi, aiutato dal suo nuovo amico – chiunque egli fosse –, poi pensò: "Ma non avrà caldo con quel pastrano?".

E iniziarono a camminare. C'era un buio pesto, interrotto solo dai bagliori provenienti da alcuni lampioni ma, per quanto si sforzasse di guardare, Ulisse non riusciva a vedere niente: la nebbia era troppo fitta.

«Gradirebbe qualcosa da bere?» gli chiese l'uomo misterioso dopo qualche passo.

Istintivamente, Ulisse scosse la testa. Il solo pensiero di bere qualcosa gli faceva venire il voltastomaco. Alla cena con la ministra aveva bevuto, e non poco.

«Piuttosto... dove stiamo andando? Io devo tornare al palazzo del ministro...» Che figura ci avrebbe fatto a sparire in quel modo?

«Di che ministro sta parlando?»

«Sabrina... Sabrina...» Non riusciva a ricordare il cognome.

«Ma Sabrina è un nome da donna!»

«Sì, è un ministro donna.»

L'uomo si fermò per un istante. Sembrò riflettere, poi riprendendo all'improvviso a camminare disse: «Bene, la crescente influenza delle donne è l'unica cosa rassicurante nella nostra vita politica!».

«Ehm... sì» disse Ulisse. Certo che quell'uomo era proprio bizzarro. Parlava come un libro stampato e aveva un accento inglese piuttosto marcato.

Poi estrasse dalla tasca il suo pacchetto di sigarette: «Ne vuole una?».

«Oh, grazie! Ma ho le mie» rispose l'uomo sfoderando uno scintillante portasigarette in argento. «Una sigaretta è il prototipo perfetto di un perfetto piacere. È squisita e lascia insoddisfatti. Che cosa si può volere di più?»

«Magari una bella donna sottomano?» rise Ulisse.

«Le donne sono un sesso affascinante e testardo. Ogni donna è una ribelle e, di solito, entra in competizione anche con se stessa.»

Ulisse cominciò a pensare che quell'uomo non avesse

proprio tutte le rotelle al loro posto. E poi perché si era alzata quella nebbia? Non aveva mai sentito che ad Atene ci fosse la nebbia. E quei lampioni... c'erano fiammelle dentro!

«Senta, avrei bisogno di aiuto. Penso di essermi perso...»

«L'aiuterò, se sarà in mio potere. In fondo, è sempre facile essere gentili con le persone di cui non ci importa niente.»

Be', *gentile*... «Devo raggiungere Palazzo Oscar Wilde!» L'uomo si fermò di nuovo. Aveva un'espressione stupita. «Di grazia, Oscar Wilde, ha detto?»

«Sì, esatto, Oscar Wilde. Le dice qualcosa?»

«Be', come non potrebbe? È il mio nome.»

Ulisse si stropicciò gli occhi. Sì, ecco chi gli ricordava quell'uomo... un celebre ritratto dello scrittore irlandese.

Quindi, forse, chi era davvero impazzito era lui, che ora vagava chissà dove per la città a parlare con degli spiriti.

Come se gli avesse letto nel pensiero, Oscar Wilde gli disse: «Le cose di cui si è assolutamente certi non sono mai vere. Comunque... Visto che mi sembra un po'... *perso*, perché ora non mi fa compagnia? Le andrebbe di conoscere un mio caro amico? Abita poco più avanti».

Dopo qualche minuto di cammino, a un'andatura sempre molto lenta e misurata, giunsero a una villa. Wilde suonò il campanello e rimase in attesa. Attorno non c'era niente, solo nebbia.

La porta si aprì. Al di là comparve un uomo mingherlino, con un paio di baffetti e l'aria poco entusiasta.

«Marcel! Come stai?»

Quello scosse la testa. «Eh, sempre la stessa storia... per quanto mi sforzi non riesco a trovarlo.»

«Eh, non è una facile ricerca...»

«Di cosa state parlando?» chiese Ulisse, che non capiva più niente.

«Del tempo perduto!» rispose Marcel portandosi sconsolato una mano alla fronte. «Io scrivo, scrivo, scrivo... ma mi sembra di non riuscire mai ad afferrarlo come vorrei. Ma cosa ci fai lì? Entra. E anche lei, mio nuovo ospite. Con chi ho il piacere di parlare? Non ci siamo ancora presentati, mi sembra.»

«Sono Ulisse, Ulisse Amedei» si presentò il giornalista. «E io sono Marcel, Marcel Proust» disse l'altro stringendogli la mano. «Accomodatevi, ho del tè caldo e qualche dolcetto.»

Oscar Wilde e Ulisse – che ormai era convinto di aver perso tutte le rotelle – entrarono nell'abitazione di Proust, il quale li guidò fino al salotto, dove gli indicò due divanetti. Su un tavolino c'era una teiera decorata con motivi orientali e un vassoietto pieno di madeleine.

Madeleine. Non poteva essere altrimenti, pensò Ulisse.

«Che meraviglia!» esclamò Wilde con l'acquolina in bocca affondando nel sofà. «Posso resistere a tutto, tranne che alle tentazioni!» E afferrò una madeleine.

Proust si sedette di fronte a lui, e rimase a osservarlo mentre masticava. Quando Wilde ebbe mandato giù l'ultimo boccone lo scrittore francese domandò: «Allora?».

«Penso ci sia troppo zucchero.»

Ulisse ne assaggiò un pezzetto. In effetti, Wilde non aveva tutti i torti.

«Eh sì, *mon ami*, lo so!» esclamò Proust. «Da quando mi sono trasferito qui non riesco a trovare una buona domestica, perfino con le madeleine la mia sbaglia sempre le dosi... e menomale che ci troviamo in Paradiso!»

Ulisse guardò Oscar Wilde, poi Marcel Proust, poi lanciò un'occhiata oltre la finestra, dove tutto era ancora immerso in una nebbia fittissima.

«Siamo in... Paradiso?» sussurrò. «Questo vuol dire... che sono *morto...*?»

Wilde e Proust lo fissarono per qualche secondo in assoluto silenzio.

«Alla fine ci si abitua...» disse Marcel «non è poi così diverso dalla vita. Io sono ancora un grafomane incallito e soprattutto non sono riuscito a trovare quel maledetto tempo perduto.»

«E poi qui si sta così bene... molto meglio che nel regno dei vivi!» prese la parola Wilde. «Se penso a quanto ho dovuto soffrire e a tutte le cose che mi sono state fatte per l'amore che ho provato per quel giovanotto, Alfred...»

«Non mi nominare *Alfred*! Ancora, oggi, dopo tanti anni non riesco a non essere geloso di lui.»

E fu preso da un attacco d'asma, che andò avanti parecchi minuti. Oscar continuava a chiedergli cosa poteva fare per aiutarlo.

«Sta parlando di Alfred Agostinelli, il suo autista e segretario» spiegò Wilde quando Proust cominciò a sentirsi meglio.

«Quel maledetto! Se lo becco in giro, sono in grado di fare una strage!»

«Forse saresti solo in grado di scriverla, anche se – diciamoci la verità – le scene d'azione, mio caro Marcel, non sono certo il tuo forte. Non ho mai letto un libro in cui una conversazione si protrae per non meno di duecento pagine... E comunque parlavo del *mio* Alfred, Alfred Douglas. Mi ha creato non pochi imbarazzi, non ultimo quello con la giustizia di Sua Maestà. Puniti così per il proprio amore: che volgarità!»

«Sì...» mormorò Ulisse, che ancora non si era ripreso dallo shock. Perché si trovava in Paradiso insieme a quei due? Era davvero morto?

Ulisse ripensò alle parole del cardinal Kozma. Ma non stava solo scherzando quando gli aveva parlato del Paradiso per i gay e dell'Inferno per gli Etero?!

«Posso chiedere una cosa?» domandò Ulisse.

Wilde e Proust, entrambi presi nei ricordi dei rispettivi Alfred, sollevarono lo sguardo verso di lui.

«Qui in Paradiso sono tutti gay?»

«Be', ovvio» rispose Proust. «Più tardi dovrebbero raggiungerci André Gide e Buffalo Bill. Tutti gay... e poi Giulio Cesare, Napoleone, Clodoveo, Abramo Lincoln... anche loro, tutti gay.»

«Buffalo Bill? Non parlate sul serio, vero? È così... *virile*.»

«Non ha idea di quanti gay *virili* ci siano qui in giro...

altrimenti non sarebbe davvero il Paradiso...» disse Oscar Wilde rinvigorito.

«E Napoleone?! Se i francesi lo sapessero... E Clodoveo?»

«Sì. Proprio il re franco... pare abbia confessato al vescovo Eleuterio che non gli dispiacesse, ecco... l'amor *che non si dice*.»

«Quindi io che ci faccio qui?»

Wilde e Proust sgranarono gli occhi. «Perché, tu non sei gay?» chiesero all'unisono.

«No...»

I due scrittori si irrigidirono.

«Questo è strano, molto strano...» disse Wilde. «Ma d'altronde lei, mio buon amico, è davvero *bizzarro*! Non mi ha ancora detto una cosa: cosa ci fa da queste parti, e perché doveva raggiungere Palazzo *Oscar Wilde*?» Lo disse col tono di qualcuno che parli a uno svitato.

«Ecco, sono un giornalista e...»

Wilde si illuminò: «È un giornalista, ecco! Magari il Creatore l'ha convocata per testimoniare la verità sul Paradiso!».

«Sì, giusto!» esclamò Proust. «Allora non è morto... è *solo* giornalista! In effetti il suo colorito mi sembrava fin troppo sano per essere uno di queste parti.»

Ulisse tirò un sospiro di sollievo. All'improvviso il fatto di trovarsi nel Paradiso gay non gli sembrava più tanto strano.

Era dal suo arrivo in Grecia che vedeva cose talmente stravaganti... e quella non era certo la più eclatante.

Continuò allora a conversare amabilmente con gli spiriti di Oscar Wilde e Marcel Proust. Il fatto di sapersi vivo lo rendeva tranquillo.

Poi, pettegolezzo dopo pettegolezzo, madeleine dopo madeleine, mentre Wilde fumava una sigaretta e Proust tossicchiava, si addormentò con la testa appoggiata sul bracciolo del divano.

Non fu un sonno tranquillo.

Sognò di stringere la mano a Giulio Cesare, di chiedergli se, secondo lui, anche Asterix e Obelix erano gay come

Stanlio e Ollio, e di fare a botte con Marlon Brando per poi finire a fumare una sigaretta guardando il fronte del porto. E alla fine si svegliò. La testa gli faceva male. Aveva un po' di nausea, e tutto era così pesante. Gli sembrava di essere fatto di pietra, e sentiva un gran caldo salirgli dalla pancia fino al collo. Si toccò la fronte: era fradicio.

Sollevò le palpebre. Davanti a lui due enormi occhi lo fissavano. E adesso chi era?

Poi i contorni si fecero più definiti. Erano gli occhi di Bette Davis, e lui non era più in Paradiso, era nel letto della sua suite all'Hotel Almodóvar.

Si voltò. Manuel era lì, su una poltrona, che lo osservava dopo aver alzato lo sguardo dal suo cellulare.

«Certo che ci sei andato pesante con il vino.»

«Ma... come sono arrivato fin qui! Ricordo solo la terrazza di Sabrina e poi... più nulla.»

Non se la sentiva di dire tutta quella storia del Paradiso, di Oscar Wilde e di Marcel Proust. Manuel l'avrebbe sicuramente preso per matto.

E, secondo dopo secondo, si faceva strada in lui la consapevolezza che si fosse trattato solo di un'allucinazione.

«Non lo so. A un certo punto ti abbiamo visto comparire nella hall dell'albergo, e abbiamo deciso di portarti in camera.»

«Abbiamo? Chi?»

Manuel arrossì all'istante. «Io e Costa, te lo ricordi?»

«Certo, sono solo sbronzo, non ho mica perso la memoria! Avrai qualcosa di piccante da raccontarmi, spero» disse ammiccante. «Comunque, che ore sono adesso?»

Manuel sollevò il polso con l'orologio. «Le cinque.»

«Abbiamo ancora tre ore di sonno, prima che arrivi Khloe... Manuel, vai pure a letto, grazie. Mi sento bene.»

«Sicuro, capo?»

«Sì. E non chiamarmi capo, non so più come dirtelo!»

La sua faccia fu deformata da uno sbadiglio. Poi da un secondo. E si addormentò di nuovo.

Questa volta sognò Khloe in bikini sulla spiaggia di qualche isola dell'Egeo, mentre lui, con un cocktail colorato in mano, la guardava da sotto un ombrellone.

Di Wilde, Proust, Giulio Cesare, Buffalo Bill, per fortuna, nessuna traccia...

11

Capitolo turchese

Quando la sveglia del suo smartphone suonò, spietata come tutte le sveglie, il primo istinto di Ulisse fu di girarsi dall'altra parte, lasciandola suonare finché non si fosse stancata. Tre ore di sonno non sono niente quanto hai da smaltire una sbronza colossale.

Ma sapeva che lo attendeva una giornata in compagnia di Khloe, in giro per Atene, a visitare alcuni dei luoghi più simbolici della capitale, e aveva un articolo da scrivere praticamente all'istante, quindi riaprì lentamente gli occhi, allungò una mano verso il cellulare e spense la sveglia.

La stanza era già immersa nella luce della mattina che filtrava attraverso le tapparelle. La calda, bellissima luce greca... che in quel momento gli si posava sugli occhi come un insopportabile raggio laser.

La gola, poi, gli bruciava. Sentiva sul palato un saporaccio che probabilmente neanche mezza bottiglietta di Listerine sarebbe riuscita a far scomparire del tutto.

Quando riuscì a raggiungere, arrancando, il bagno della suite, e si vide allo specchio, per poco non fece un salto all'indietro. Aveva occhiaie da Guinness dei Primati e un colorito verdognolo, tendente al giallo. Doveva davvero piantarla di mettere così a dura prova il suo fegato. Non aveva più trent'anni...

Però sapeva cosa fare in situazioni del genere, glielo aveva insegnato una sua amica showgirl. Andò al frigobar, prese due lattine ghiacciate – una Coca-Cola Zero e una Fanta Lemon – e se ne mise una su ogni occhio. Attese così per circa un minuto, fino a che praticamente non sentì più i bulbi oculari, tanto erano congelati. Quando se le tolse, le occhiaie non erano certo sparite ma almeno gli occhi non erano più gonfi come palloncini e aveva uno sguardo più riposato. Per lo meno presentabile.

Entrò nella doccia, spinse la manopola tutta dalla parte del blu – anche quello un trucco della showgirl esperta in brutti risvegli –, e, ghiacciato ma ritemprato, tornò nella camera e aprì del tutto le finestre.

Il Partenone lo guardava da lontano, la bandiera rainbow sventolava con allegria. La città, giù nelle strade, brulicava di persone.

Sì, ce la poteva fare.

Scese a fare colazione. Quello sarebbe stato un giorno all'insegna del salutismo: partì con cereali integrali, yogurt magro, succo d'arancia e frutta. Neanche sua moglie Sonia, fissata con la naturopatia, arrivava a tanto.

Manuel, come notò, non era lì nella sala colazioni, e provò a mandargli un messaggio su WhatsApp: «Non si mangia oggi?». Ma il fotografo non gli rispose. Anzi, sotto il testo rimase una sola spunta grigia, segno che il messaggio non gli era neppure arrivato. Non è che si era dimenticato di mettere la sveglia?

Forse era meglio controllare. Contro ogni buon proposito di quella mattina, trangugiò tutto velocemente – il miglior modo per far restare il cibo sullo stomaco, come gli ripeteva Sonia – e corse a bussare alla Olivia Newton-Jones.

Bussò una volta. Poi una seconda. E una terza... ma nessuno rispondeva. Guardò l'orologio. Erano le otto e quaranta. Tra venti minuti Khloe sarebbe arrivata all'albergo, e lui doveva ancora scrivere l'articolo da mandare a Riccobono.

Dove diavolo era finito il suo fotografo?

Gli venne in mente l'unica persona a cui poter chiedere: Costa. Ma neanche di lui c'erano tracce. Al suo posto, al bancone della reception, vide una sua collega. «Oggi Costa ha il giorno libero» era stata la risposta della ragazza. Che i due fossero da qualche parte a spassarsela?

Nel caso era contento per Manuel, in fondo era stato lui a incoraggiarlo, ma adesso chi avrebbe pensato alle fotografie per «X-Style»? Proprio nel giorno in cui Khloe gli avrebbe fatto visitare così tanti posti... Chi lo avrebbe sentito poi Riccobono? Già gli stava per mandare un articolo scritto in dieci minuti.

«Senza belle foto non si va da nessuna parte!» era il suo motto. Anche se Ulisse era convinto che la sua sola firma bastasse a rendere un servizio della rivista un sicuro successo.

Non gli restava che tornare in camera e finire di prepararsi mentre scriveva il pezzo sulla tastiera del cellulare.

Quando si vide nello specchio a figura intera, vestito con un completo di lino, i capelli brizzolati liberi sulla testa, e il suo sorriso migliore si disse ad alta voce: «Certo che anche nelle situazioni peggiori rimani sempre un gran figo, Ulisse mio!».

Mancava solo un dettaglio, gli occhiali da sole, che indossò come un pistolero estrae la sua arma dalla fondina.

«Figo... e macho. Nessuna donna ti può resistere.»

Proprio nel momento in cui inviò il breve articolo sulle icone gay a «X-Style», il telefono della stanza suonò. Era la ragazza alla receptionist, con un annuncio: Khloe era già arrivata e lo stava aspettando.

Chissà che look avrebbe sfoggiato lei, quella mattina...

Non dovette attendere molto per scoprirlo. Quando le porte dell'ascensore si aprirono, Khloe era lì in piedi, con un tailleur grigio, ancora più triste di quello petrolio che indossava il giorno prima.

Eppure, era sempre bellissima.

«Buongiorno» gli disse.

«Buongiorno...» mormorò lui con voce profonda.

Lei sollevò le sopracciglia. Sembrava decisamente scocciata. «Il suo collega dov'è?»

Ce l'aveva ancora con lui per quelle battute sulle icone

gay che gli erano uscite durante la cena con la ministra delle Icone? No, dài, non era possibile... certo che era davvero permalosa.

«Eh, vorrei saperlo anche io» le rispose Ulisse. «Ho provato a bussare alla sua porta ma pare non essere in camera. Forse è stato rapito da un commando di gay integralisti anti-italiani.»

«Non dica stupidaggini!» lo seccò Khloe, ancora più irritata.

Ulisse sentì un moto di stizza crearglisi dentro lo stomaco, e per poco non la mandò a quel paese. Allo stesso tempo, però, l'avrebbe volentieri spinta contro una parete e baciata con la forza, per farle capire chi reggeva il gioco, fra loro due.

«Bene, se il suo fotografo non c'è, vorrà dire che incominceremo il giro da soli. Non ho tempo da perdere *io*.»

Ancora quel moto di stizza. Ancora quella voglia di zittirla con un bacio.

Ma Ulisse si limitò a seguirla fino alla macchina, dove l'autista li aspettava, pronto ad accompagnarli alla scoperta di Atene e delle sue meraviglie.

La prima tappa della giornata fu all'insegna della finanza, con la visita alla nuova Borsa di Atene.

La Borsa era un luogo importante e controverso per la capitale, perché era proprio a causa della finanza che l'economia del Paese era crollata. Col default, la Borsa aveva definitivamente chiuso i battenti, e aveva riaperto soltanto con l'instaurazione del nuovo governo.

«Una Borsa tutta nuova!» aveva annunciato il primo ministro Gregorius Zena alla stampa di tutto il mondo.

«Una Borsa bellissima! Alla moda!» era stato quanto aveva detto il sindaco della città Chariton Basinas quando aveva tagliato il nastro.

E che fosse alla moda era innegabile, pensò Ulisse scendendo dall'automobile insieme a Khloe in piazza Billy Porter. Bellissima, anche.

Ma l'aggettivo che più gli sorgeva sulla punta della lingua era «azzardata».

La nuova Borsa valori di Atene era infatti una gigantesca borsa Kelly, proprio quella firmata da Hermès che Grace Kelly negli anni Cinquanta usava, per cercare di nascondere la gravidanza, quando doveva posare per delle foto. Una grande borsa Kelly rosso fuoco alta quanto un palazzo di dieci piani.

Non era questo, però, l'unico aspetto bizzarro della Borsa di Atene. Le persone che entravano e uscivano, infatti, non erano nervose come quelle che si potevano incontrare a piazza Affari a Milano. E anche quando Khloe lo accompagnò all'interno, non vide uomini in giacca e cravatta urlare, telefoni squillare, persone accalcarsi davanti a schermi che proiettavano dati... I lavoratori della Borsa erano persone rilassate, che parlavano con un normale tono di voce e che ticchettavano tranquillamente sulle loro tastiere, davanti a monitor che avevano tutti la forma di borse Kelly.

«Ma è... assurdo!» esclamò Ulisse, che sapeva quanto gli indici finanziari di Atene fossero sempre estremamente positivi da qualche anno a quella parte. «Mi aspettavo più... isteria! Anche perché con tutti questi trader...»

Stava per dire «gay», ma per fortuna all'ultimo secondo riuscì a mordersi la lingua.

Khloe, un passo dietro di lui, nella grande sala delle contrattazioni, il cui soffitto era affrescato con un omaggio alla borsa più celebre di Hermès, disse: «Posso immaginare cosa stava pensando... eppure la Borsa di Atene è la meno isterica di tutto il mondo».

Toc. Con la sua solita flemma, Khloe abbatteva un altro luogo comune: non era vero che tutti i gay sono isterici, allora.

E, a quanto pareva, sembrava proprio la verità.

«Eh sì...» disse Ulisse scuotendo la testa e facendo un sospiro. Poi, come colto da un'illuminazione: «E comunque, questa cosa della Borsa Kelly, così come le dragme con su i ritratti delle più famose drag queen del mondo, farà impazzire i lettori di "X-Style"!».

Khloe sorrise compiaciuta. «Pronto per la prossima tappa?»

«Prontissimo!»

Ulisse si sentiva come un bambino in gita, mentre l'automobile percorreva veloce le strade di Atene. Non si perdeva un solo scorcio e ogni volta che su un cartello leggeva un nome che non conosceva, ne approfittava per chiedere delucidazioni a Khloe.

«Via Laverne Cox... chi era?»

«Chi *è*, vorrà dire: è viva e vegeta, ed è ancora parecchio giovane.»

«E perché le si dedica già una via?»

«Perché è la prima attrice transessuale a essere stata nominata per un Emmy.»

«Ah, davvero? E per che cosa?»

Se ci fosse stato Manuel, sicuramente lo avrebbe saputo.

«La serie tv "Orange Is the New Black" non le dice nulla?»

«Mmm... no.»

«Bene, ora ha qualcosa in più da guardare.»

In quel momento stavano percorrendo via Anacreonte.

«E Anacreonte che c'entra?»

«Era un grande appassionato di ragazzi, a quanto pare, oltre a essere stato uno dei più grandi poeti greci dell'antichità.»

E così via, di strada in strada, finché a un certo punto la ragazza gli indicò un edificio bianco, dietro al quale sembrava estendersi un parco lussureggiante.

«Quello è il Candy Candy International Hospital» disse. «È l'ospedale dei bambini di Atene, chiamato così in onore dell'eroina manga creata nel 1975 da Yumiko Igarashi» proseguì come fosse il nastro registrato della guida di un pullman sight&seeing.

«Sì, sì, lo so chi è» disse Ulisse. «E le cose come vanno nell'ospedale?»

«Benissimo, ovviamente.»

Ovviamente. Lì ad Atene, in effetti, tutto sembrava funzionare alla perfezione. Anche laddove il nume tutelare era una ragazzina con giganti occhi sberluccicanti e una massa di ricci biondi che, oltre a innamorarsi dello spavaldo Terence, giovane aristocratico angloamericano, diventava infermiera e volava a Chicago per prestare soccorso, con immensa dedizione, ai feriti e ai malati della Grande Guerra. «Ha standard elevatissimi» continuò Khloe. «Così come, d'altronde, l'Oliver Sacks Hospital, l'ospedale per adulti, che eccelle in tutte le specialità: dalla cardiologia alla radiologia, fino alla chirurgia plastica. Pensi che c'è un reparto apposito dedicato ai salvataggi di interventi riusciti male... ci sono ricoverate anche diverse star italiane rese irriconoscibili da chirurghi poco avveduti. Ma non mi chieda di chi si tratta. Non lo so neppure io. E anche se lo sapessi non lo andrei certo a spifferare a un giornalista, italiano per giunta!»

Ulisse avvertì nuovamente quel moto di stizza. Certo che quella ragazza sapeva come innervosirlo... ed eccitarlo.

«Non glielo chiederò, allora. Non sono quel tipo di giornalista. Piuttosto, immagino che la sanità sia pubblica e con un peso minimo per il contribuente...» disse Ulisse che cominciava a essere infastidito, oltre che da Khloe, da tutta quest'efficienza da primi della classe.

«Esatto, immagina bene.»

E dire che un tempo la Grecia, insieme all'Italia, era la pecora nera dell'Europa...

«Qual è la prossima tappa?» chiese mentre la sagoma bianca del Candy Candy International Hospital si faceva sempre più piccola oltre il finestrino dell'auto.

«È pronto a fare un salto all'indietro nel tempo?»

«Mh?» fece Ulisse incuriosito.

«Lei che studi ha fatto da giovane?»

«Scienze politiche.»

«Ah, abbiamo qualcosa in comune allora...»

«Lieto di saperlo» ammiccò Ulisse, che ancora non aveva perso la speranza di risalire la china nelle grazie della ragazza.

«Come avrà capito, ora faremo una tappa all'Università

Pier Paolo Pasolini di Atene, seconda, nella nazione, solo alla Aristotele di Salonicco, uno dei centri del sapere più importanti al mondo... di cui tutta la Grecia va estremamente orgogliosa!»

La loro conversazione fu interrotta dal suono del cellulare di Ulisse.

«Mi scusi» disse il giornalista guardando il display. «Ah, è Manuel!» esclamò. Poi, prendendo la telefonata: «Ma si può sapere dove diavolo ti eri cacciato?!».

«Ero in camera, non ho sentito la sveglia!»

«E non hai sentito neanche me bussare alla tua porta...»

«Ero distrutto.»

«E io che pensavo fossi chissà dove con Costa, ho saputo che oggi ha il giorno libero.»

Manuel stette in silenzio per qualche istante. «No, ero davvero in camera. C-Costa l'ho visto prima...»

«... E? No, dài, mi racconti dopo. Ora prendi un taxi e raggiungici all'Università di Atene. Ah, chiedi al tassista di passare di fronte alla Borsa Kelly. Voglio assolutamente una fotografia anche di quella. E che sia spettacolare, mi raccomando.»

«Borsa Kelly?»

«Sì, Borsa Kelly. E sbrigati.»

Ulisse mise giù. «Ho recuperato il mio fotografo» annunciò, mentre la macchina si fermava un'altra volta.

Quanto la Borsa Kelly gli era apparsa tranquilla, tanto l'Università di Atene gli si presentò come un tripudio di entusiasmo ed energia. Ragazzi e ragazze dappertutto, che si muovevano fra i chiostri dell'ateneo con fare peripatetico, o che sostavano di fronte alle macchinette con un bicchierino di plastica in una mano e una sigaretta nell'altra. Vestiti nei modi più bizzarri, con pashmine, cappelli giganti, stivali, pantaloni strappati; alcuni stravaccati per terra a leggere o a chiacchierare... C'era solo da augurarsi che la Polizia del Buongusto non facesse una retata, o ci sarebbe stata una generazione con la fedina penale sporca.

Insomma, un'università come tante.

Ulisse sorrise ripensando a quando, ormai trent'anni prima, si era iscritto anche lui, fresco fresco di maturità. Quanto tempo era passato... eppure il sapore di quei giorni, quell'atmosfera spensierata e carica di aspettative, riemerse prepotente tra i suoi ricordi.

Manuel, che era arrivato col fiatone come se fosse stato lui a correre e non il tassista a spingere sul pedale dell'acceleratore, cominciò a scattare foto in ogni dove, come per farsi perdonare del ritardo.

Khloe, invece, assunse il suo tono da slogan pubblicitario pro-governo e cominciò a spiegare: «L'istruzione in Grecia è importante. D'altronde siamo o non siamo nella nazione che ha dato i natali al Liceo?».

In quel momento – stavano attraversando un chiostro – un gruppo di studenti emerse da una porta. Tra questi c'era una ragazza che singhiozzava, col volto rigato di lacrime. Era sorretta da due ragazzi che cercavano di consolarla.

«Dài, la prossima volta lo passi, vedrai...» disse uno.

«Non lo so... secondo me il professore ormai ce l'ha con me. Se si ricorda la mia faccia...»

«Ma va'!» disse l'altro. «Figurati se si ricorda di te. Hai un viso talmente anonimo!»

La ragazza smise all'istante di piangere e tirò su col naso. «Ma grazie eh!!»

Una studentessa con un paio di treccine castane la raggiunse con fare allarmato.

«Allora? Hai passato Lady Gaga II?»

Ulisse sollevò le sopracciglia e aguzzò l'udito. *Lady Gaga II?*

«No, nella prima parte, con l'assistente, ho preso ventisette. Ho solo sbagliato la tracklist di *Artpop*. Non mi ricordavo che *Applause* fosse l'ultima traccia... anche perché è stato il primo singolo.»

«E poi, col professore?» chiese Treccine.

«Un disastro.»

«Ma cosa ti ha chiesto? Io ce l'ho domani... ho un po' paura.»

«Mi ha chiesto a quale canzone di Madonna assomiglia *Born This Way*.»

«*Express Yourself*, no?» disse prontamente Treccine.

«Eh sì, ma a me non è venuto in mente. Mi ha spedito via senza neanche farmi una seconda domanda. Ha detto che mi mancano le basi.»

«Sai che il professore è fissato con il rapporto Lady Gaga/Madonna... Il suo libro lo devi sapere a menadito. E poi lo dicono tutti che lui in realtà avrebbe voluto la cattedra di Madonna, non quella di Lady Gaga.»

E i quattro ragazzi continuarono a parlare allontanandosi verso il chiostro successivo.

A quel punto Ulisse si voltò verso Khloe. «Ma cosa studiano questi ragazzi?»

«Sono studenti del corso di Cultura dello Spettacolo. Si occupano di musica, cinema, teatro, alcuni con indirizzo Icone Gay. D'altronde qui in Grecia abbiamo anche un apposito ministero, ormai lo sa, che lavora in stretta sinergia con quello del Turismo. I ragazzi che vogliono lavorare nell'accoglienza devono essere preparati.»

«Sarà...» commentò Ulisse «ma a me studiare Lady Gaga sembra un insulto alla Cultura, quella con la C maiuscola.»

Khloe si sedette sotto il porticato, e il suo viso fu colpito dalla luce del sole.

Per un attimo a Ulisse mancò il fiato. Era bellissima, così, con un filo appena di trucco e i capelli legati dietro la nuca.

«Non si studia *solo* Lady Gaga. Qui all'Università di Atene non sono stati certo aboliti i corsi di Lettere, Filosofia, Giurisprudenza, fino a tutte le facoltà scientifiche. C'è stata solo qualche aggiunta che, comunque, io credo importante. La storia è anche fatta di questo, specie nel ventesimo secolo. Ed è bene che non si dimentichi nulla. Sa, per esempio, che nei corsi di Storia della musica si studiano anche Giuni Russo, un'artista che non è mai stata riconosciuta abbastanza e rischia di essere ricordata solo per la parte più leggera della sua produzione, e Umberto Bindi, che in vita è stato emarginato proprio a causa della sua omosessualità?»

«No...» Ulisse pensava soltanto che Bindi fosse stato il meno fortunato fra i cantautori della scuola genovese, superato – in quanto a successo di pubblico – da colleghi come Gino Paoli e Bruno Lauzi.

«Vede quindi che questi corsi sono utili? Nemmeno lei, che è italiano, era a conoscenza del perché Umberto Bindi, che era un artista straordinario, fosse stato costretto a chiedere il vitalizio previsto dalla legge Bacchelli e a morire praticamente in povertà... Essere gay in Italia non andava di pari passo con l'essere un cantante di successo, evidentemente. E non è che ora le cose siano poi così tanto migliorate, visto che l'unico ad aver fatto coming out è stato Tiziano Ferro.»

«Accidenti! Certo che segue molto da vicino le nostre vicende» esclamò Ulisse, il quale non poteva che trovarsi d'accordo con lei.

«Devo ammettere che in Grecia guardiamo sempre molto all'Italia. Non riusciamo a capire come sia possibile, nonostante sia una nazione per molti versi tanto splendida, che la situazione dei diritti Lgbt sia ancora a uno stadio così primitivo.»

Ulisse restò per un momento in silenzio. Neanche lui, in effetti, sapeva nulla della storia di Umberto Bindi e di quello che aveva dovuto passare.

E chissà quanti come lui. Doveva arrivare fino in Grecia per scoprirlo?

Si guardò di nuovo in giro. In quei ragazzi che ora sembravano star perdendo tempo vide una generazione che probabilmente sarebbe stata più consapevole in materia di diritti e, dopo di loro, un'altra generazione per la quale i diritti di gay, lesbiche e transessuali sarebbero stati qualcosa di assodato e imprescindibile.

Khloe lo strappò ai suoi pensieri: «Che ne dice di mangiare qualcosa adesso?».

«Dove mi porta?»

«Oh, pensavo di restare qui. L'Università ha una mensa a dir poco straordinaria.»

Ulisse ripensò a quella del suo ateneo: tutto fuorché «straordinaria». «Dice sul serio?»

«Provare per credere.»

Qualche minuto dopo Khloe, Ulisse e Manuel stavano facendo la coda col vassoio in mano tra l'isola dei primi, quella dei secondi e anche quella dei dolci. Perché non volevano farsi mancare nulla.

Khloe aveva ragione. C'era da leccarsi i baffi.

A fine pranzo, la ragazza si alzò dalla tavola e con un «Vado in bagno» si allontanò dalla mensa.

Manuel e Ulisse si guardarono.

Ulisse non aveva in mente nulla, solo un grande senso di appagamento. Aveva mangiato benissimo.

Manuel, invece, non vedeva l'ora di sputare il suo rospo.

«Allora, non vuoi sapere niente?»

«Di cosa?» chiese Ulisse stranito.

«Ma come di cosa? Di me e di Costa.»

«Ah, giusto.» A dir la verità, dopo tutto quello che aveva visto quella mattina, se n'era completamente scordato.

«Sentiamo. Voglio vedere se quello che hai da dirmi riuscirà a farti scusare per il ritardo di stamattina.»

«Intanto volevo chiederti una cosa io.»

Ulisse sgranò gli occhi. Non era da Manuel tutta quella spavalderia. «Chiedi pure.»

«Dove sei finito ieri sera? A un certo punto mi sono girato e non ti ho visto più! Mi sono anche preoccupato... poi uno dei deputati con cui eravamo a cena mi ha detto che ti aveva visto salire al piano di sopra con la ministra. È vero? Hanno fatto un sacco di battutine sul giornalista italiano che ci provava con un ministro della Repubblica greca...»

Ulisse arrossì. «Non è come credi.»

«Allora è vero!»

«Sì, ma non è successo assolutamente nulla. Non so come – ho bevuto davvero tanto, *troppo*, ieri! – mi sono ritrovato sul terrazzo con Sabrina. Chiacchieravamo... almeno credo. E poi, all'improvviso, sono stato preso da dei conati di vomito e sono fuggito via... poi, non so come, sono riuscito a tornare all'albergo.»

Meglio evitare di raccontargli anche della merenda con Oscar Wilde e Marcel Proust.

«A quel punto della serata, probabilmente, io ero già tornato in albergo...»

«E...?»

«Nella hall ho incontrato Costa.»

«E...?»

«Niente. Abbiamo parlato fino al tuo arrivo. Mi ha raccontato della sua infanzia, della sua famiglia, io gli ho detto qualcosa, poco, sulla mia. Era tutto buio, silenzioso, e...» Manuel prese fiato: era visibilmente emozionato. «E si è creata un'atmosfera bellissima.»

«E...?»

«E poi sei arrivato tu, Ulisse.»

«Non dirmi che ora è colpa mia se tra te e Costa non è successo nulla!» protestò il giornalista.

«Ma no, no, tranquillo. In quel momento, vedendoti in quello stato l'unica cosa che ci preoccupava era portarti in camera, anche se per poco non abbiamo chiamato un'ambulanza: Costa temeva che fossi in coma etilico.»

«Esagerato!»

«Sì, è un ragazzo premuroso, in effetti. Se penso al vestito che si è fatto prestare per me. Ed era davvero in pensiero per te, ieri. Se non fosse stato per il suo aiuto da solo non ce l'avrei mai fatta a trascinarti su.»

«Caro ragazzo...»

«Sì, e poi quando finalmente sono uscito dalla tua camera, lui stava giusto risalendo per controllare che andasse tutto bene... e poi mi ha accompagnato fino alla porta della mia.»

Ulisse scosse la testa. «E tu, *ovviamente*, non l'hai invitato a entrare.»

Manuel arrossì, poi abbassò lo sguardo. «No... era in servizio... e...»

«Manuel» disse Ulisse con un tono che non ammetteva repliche. «La devi smettere di perdere occasioni come questa per la tua timidezza.»

«Di che parlate?» Khloe era tornata dal bagno e si stava risedendo al tavolo, mentre attorno a loro i chiacchiericci degli studenti, sommandosi, formavano un gran fracasso.

«Oh di nulla» fece Ulisse, «di cose della vita...»

«Interessante. Piuttosto, prima di riprendere il nostro giro, volete bere un caffè?»

«Sì, vado a prenderli io» si offrì Manuel, rosso in viso. Era talmente timido da far venire i nervi, pensò Ulisse guardandolo dirigersi verso il bancone del bar della mensa.

Poi si voltò. Khloe era lì, seduta davanti a lui, e fissava nel vuoto, lo sguardo più addolcito del solito.

Ora o mai più, si disse. Lui, al contrario di Manuel, le occasioni non se le perdeva di certo.

«Volevo chiederle scusa» disse.

Khloe si voltò a guardarlo stupita. «E per cosa?»

«Per come mi sono comportato ieri sera. È stato fuori luogo, lo ammetto, fare tutte quelle battute sulle icone gay, sulla serietà... insomma, non volevo metterla in imbarazzo. E le domando perdono. Anzi, aspetti: queste cose vanno fatte per bene.»

Si alzò in piedi e si inginocchiò proprio di fronte a lei.

Un ragazzo al tavolo a fianco esclamò: «Le sta chiedendo di sposarlo!».

Khloe fece un sorriso imbarazzato. «Va bene, va bene, la perdono, ma ora si rialzi, per l'amor di Dio!» Khloe detestava quelle scene nei film dove uno chiede di sposarlo all'altra e tutti applaudono!

Ulisse le prese la mano e gliela baciò. «Grazie, il suo perdono è la cosa più preziosa del mondo per me.»

Quando si fu riseduto, Khloe non riuscì a trattenere una risatina. «Non la sopporto» disse con un sorriso.

«Non sembrerebbe...» fece Ulisse appoggiando la mano sulla sua.

La ragazza la ritrasse, ma non in modo sgarbato, e senza guardarlo negli occhi disse: «Ieri mi ha colpito nel vivo.

Fin da bambina tutti mi hanno sempre detto che ero seria, giudiziosa... insomma, quella noiosa. Perfino i miei fidanzati me lo hanno spesso rimproverato. Si vede che c'è un fondo di verità... e dire che io invece a volte vorrei essere considerata la divertente del gruppo. Vabbè, cosa ci vuole fare? Ognuno è quel che è...»

«Eh sì, ognuno è quel che è» ripeté a bassa voce Ulisse, a cui, per la verità, del discorso di Khloe era interessata soltanto una parte molto circoscritta.

Khloe aveva infatti parlato di «fidanzati», al maschile. Sì, e non era stato un errore grammaticale, ne era sicuro: l'italiano lo parlava alla perfezione.

Questo voleva dire una sola, semplicissima cosa: non era lesbica, *ergo* poteva essere conquistata.

E lui, che era un conquistatore, ci sarebbe riuscito.

«Che c'è?» gli chiese la ragazza vedendolo così perso nei suoi pensieri.

«Oh niente, pensavo ai suoi fidanzati. Chissà quanto devono aver sofferto nel vederla sempre così impegnata nella sua carriera. Ma forse non ha ancora incontrato quello capace di farla distrarre come si deve.»

«Esiste?» disse Khloe con tono di sfida. Ma sotto sotto si vedeva che era divertita, e lusingata.

Certo che le donne sono proprio misteriose, si disse Ulisse.

In quel momento Manuel tornò al tavolo reggendo in mano un vassoietto con sopra tre tazzine – o, meglio, tre bicchierini di plastica – di caffè fumante.

«La prossima tappa?» chiese.

Khloe si schiarì la voce mentre sollevava il suo bicchierino e lo portava alle labbra. Diede un piccolissimo sorso. «C'è ancora parecchio da vedere. Potremmo cominciare con una passeggiata in ABBA Boulevard, la via commerciale della città, per poi passare a visitare il complesso sportivo Renée Richards e...»

La ragazza proseguì a illustrare il tour che li attendeva quel pomeriggio.

Manuel la ascoltava attentamente, forse immaginando quali splendide fotografie sarebbe riuscito a scattare.

Ulisse, invece, la guardava, assaporando il momento in cui avrebbe posato le labbra sulle sue.

Si mise le mani nella tasca: i preservativi che aveva ricevuto nel kit del turista greco erano ancora lì.

Sperava solo di non dover aspettare tanto a lungo per poterli usare.

12

Capitolo viola

Il Teatro Olympia non era cambiato, anche se ora si chiamava Teatro Alessandro Magno. Era qui che la ex Greek National Opera, adesso Pink Opera Temple, mandava in scena la crème del suo cartellone: un edificio sorto nel 1910 a opera dell'architetto Stavros Christidis, poi profondamente rinnovato negli anni Cinquanta da Panos Tsolakis, e da allora centro della vita culturale della capitale.

Ulisse vi aveva visto una *Carmen* insieme a Sonia, durante la loro vacanza greca di anni e anni prima. Ed era con un sorriso che aveva appena mandato un messaggio alla moglie: «Indovina cosa sto per guardare all'Olympia di Atene? Un Bizet!».

Alla fine del tour di quel pomeriggio, che si era rivelato divertente ed eccitante, e che aveva dato a Ulisse parecchi spunti per brevi articoli sul sito di «X-Style» e numerosi tweet per il suo – ovviamente seguitissimo – profilo Twitter, Khloe aveva infatti annunciato una sorpresa: due biglietti, per lui e Manuel, per assistere alla première dei *Pescatori di perle* di Bizet, quella sera stessa.

Prima dello spettacolo, gli aveva detto Khloe, Ulisse avrebbe incontrato il ministro della Cultura, con cui avrebbe parlato del ricco programma di concerti, spettacoli ed eventi organizzati in occasione della festa nazionale.

L'appuntamento con la ragazza era davanti al teatro. E

ora Ulisse era lì, accanto a un'aiuola piena di fiori, illuminati dalla luce dell'ultima sera, mentre Manuel stava accucciato a osservarli da vicino.

«Allora è vera questa cosa che ai gay piacciono i fiori anche se non vogliono diventare fiorai...»

Manuel fece un sospiro, come per dire: "Non cambierai mai". Poi cominciò a spiegare: «Sono giacinti: Atene ne è piena, non lo avevi notato?».

«A dire la verità no, c'è ben altro da guardare, se posso dire la mia.» E Ulisse pensò sia ai monumenti cittadini sia alle curve di Khloe, che nei suoi pensieri diventava sempre meno irraggiungibile.

«Comunque, tutto è incredibilmente coerente in questa Atene gay. Sai chi era Giacinto nella mitologia greca?»

«Mmm... no. Confesso che un anno sono stato rimandato in greco.»

«Era un ragazzetto bellissimo amato dal dio Apollo... ma anche Zefiro, il vento di ponente, lo desiderava.»

«Mmm... meglio di "Beautiful"!»

«La leggenda» proseguì Manuel come se non l'avesse neppure sentito «racconta che il ragazzo e il dio del sole, che lo seguiva dappertutto, un giorno decisero di sfidarsi in una gara di lancio del disco. Zefiro, ingelosito, alzò però un forte vento, e il disco colpì alla testa Giacinto, che cadde morto a terra. Apollo decise allora di trasformarlo in un fiore dal colore intenso, come il suo sangue...»

«È una storia davvero commovente» disse Ulisse guardando l'orologio. «Khloe è in leggero ritardo.»

In quel momento una Mini tutta gibollata si fermò proprio davanti a loro. Dentro Ulisse vide Khloe insieme a una donna sulla cinquantina, con una massa di capelli argento un po' arruffati e un paio di occhialini tondi dalla montatura sottile.

Khloe abbassò il finestrino e disse: «Ulisse, Manuel, toglietevi per favore: siete proprio nel parcheggio riservato al ministro!».

Senza pensarci Ulisse, seguito dal fotografo, si spostò di

lato, lasciando che la bizzarra donna al volante parcheggiasse la sua sgangherata automobile.

Quando finì le sue manovre, la prima cosa che la donna disse fu: «Scusatemi, il posto riservato è l'unico privilegio che mi concedo».

Ulisse non capiva.

«Vi presento il ministro della Cultura» annunciò Khloe.

Il giornalista sgranò gli occhi e abbozzò un sorriso. «Piacere, Ulisse Amedei, e lui è Manuel Rossi, fotografo.»

«Pilothea Katai, ministro della Cultura, a vostra disposizione. Ho chiesto al direttore dell'Opera di prestarmi il suo ufficio, così potrà intervistarmi là. Forza, mi segua.»

Senza aspettare risposta la donna, che aveva un colorito olivastro, senza ombra di trucco, e due occhietti piccoli e accesi, schizzò verso l'entrata del teatro, e poi dentro l'atrio, salutando a destra e a manca.

«È fatta così» disse Khloe rivolta a Ulisse. «Niente auto di rappresentanza, né autista, né sedute dal parrucchiere. E così sono anche i suoi collaboratori. "Tutto, fino all'ultimo centesimo, deve andare alla cultura." È questo il suo motto.»

«Ammirevole» rispose lui. «Devo dire che ogni ministro qui in Grecia è davvero calato nella parte. Non sembra essere stato messo lì per caso.»

«Merito del primo ministro Zena, non vedo l'ora che lo conosca. È stato lui a formare la squadra di governo.»

Un paio di minuti dopo erano nell'ufficio del direttore della Pink Opera Temple, circondati da fotografie con le più grandi star della lirica a livello internazionale.

Inutile dirlo: per la gran parte icone gay.

«Eccomi» disse la ministra Katai. «Sono pronta, mi chieda tutto quello che desidera. Non avrò peli sulla lingua.»

Ulisse questa volta si era preparato: si era letto tutti i programmi delle manifestazioni e degli eventi organizzati in quei giorni, in particolare la Rassegna in Arcobaleno dedicata alla musica: concerti con grandi star provenienti da tutto il mondo che si sarebbero tenuti al PalaFiesta, l'immenso palazzetto della musica dedicato a Raffaella Carrà. Aveva scoperto con piacere che, oltre a star internazionali come Skin degli Skunk Anansie, Ricky Martin e George Michael, moltissimi erano gli italiani invitati, come Tiziano Ferro. C'erano però delle assenze che a Ulisse sembravano un po' strane. «Mi perdoni, perché non è stato invitato Renato Zero? È forse percepito come troppo antiquato per le nuove generazioni?»

Pilothea Katai gli rivolse uno sguardo irritato. «No, no, niente di tutto ciò. Però questa è una rassegna per grandi star *gay* del mondo della musica.»

«Ah...»

Allora non aveva capito proprio niente...

«Capisco...» mormorò Ulisse.

«Lo stesso dicasi per il mondo della danza. Si figuri che come padrino della nostra rassegna alla Pink Opera Temple si era proposto nientemeno che Roberto Bolle.»

«Accidenti, e perché non avete accettato la sua proposta?»

«Signor Amedei, a Bolle abbiamo detto: "Siamo veramente onorati della tua disponibilità, Roberto, ma tu sei etero, non puoi fare da padrino alla nostra manifestazione. Ti richiameremo senza dubbio nel caso volessimo organizzare anche una rassegna con artisti eterosessuali."»

Ulisse fece di sì con la testa, sempre più rapito da quella donna. Proseguirono l'intervista discutendo di passione politica, di nuovi orizzonti della cultura greca e, alla fine, anche della cultura classica e dei piani per preservarla.

«Ah, ecco il mio argomento preferito!» esclamò la ministra. «Il patrimonio culturale greco è immenso e straordinario, lo sanno tutti. E non parlo solo del Partenone o delle vestigia dell'antica civiltà greca, ma anche degli usi e costumi di questa nazione, che non vanno assolutamente persi. Che Grecia sarebbe senza un narratore di *rebetiko* accompagnato dal suono del *bouzouki* e del *baglamas*? Forse qui nella capitale è più difficile assaporare quelle atmosfere, ma è missione del governo che almeno nelle isole e nel resto del territorio la tradizione continui a essere coltivata.

D'altronde è così in tutto il mondo: le grandi città sono necessariamente più cosmopolite.»

Ulisse non riuscì a trattenersi dal porre una di quelle domande che si definiscono «scomode».

«E non pensa che possano essere anche le novità degli ultimi anni a mettere a rischio la tradizione greca?»

La ministra rimase un attimo in silenzio, con lo sguardo fisso alla scrivania, come per riflettere. Ulisse si girò verso Khloe, che lo fissava un po' tesa. Per un attimo si sentì in colpa, ma poi si disse che lui era un giornalista e che era giusto porre tutte le domande che gli saltavano per la testa.

«Risponda prima lei a una domanda. In Italia le tradizioni locali sono a rischio? Mi risponda sinceramente.»

«Non so se "a rischio" sia l'espressione giusta. Ma ho motivo di credere che tra un paio di generazioni moltissimi degli usi locali saranno scomparsi...»

«Eppure l'Italia non è una nazione, diciamo, arcobaleno. Se mai in Grecia quelle tradizioni dovessero scomparire non sarà mai per colpa dei cambiamenti degli ultimi anni. Sarà invece conseguenza dell'esodo avvenuto – che a sua volta era stato causato dalla crisi economica. La Grecia è, per tanti versi, una nazione "nuova" perché "nuovi" sono in gran parte i suoi abitanti.» La ministra fece una breve pausa. «Da parte sua, il governo farà di tutto per preservare la tradizione del Paese che amministra.» Un'altra pausa. «Ho risposto alla sua domanda?»

Ulisse sorrise, mentre Manuel scattava una foto a tradimento alla ministra, che sembrava aver messo tutto il proprio cuore nel discorso appena terminato.

«Ha risposto benissimo. Grazie.»

«Grazie a lei. E ora se non avete niente in contrario, andiamo tutti a goderci l'opera di Bizet. C'è grande fermento, in città, per la Populova: sarà lei a interpretare Leina, la sacerdotessa di Brahma.»

Perché questo nome gli diceva qualcosa? Ah, certo, era la cantante che aveva incontrato all'aeroporto. Chissà se era pessima come diceva uno di quei tre melomani...

«Vedrete, vi piacerà!» disse la ministra.

«Le confesso che non ho mai visto un'opera dal palco di rappresentanza, sarà sicuramente un'esperienza indimenticabile!» ridacchiò Ulisse per fare il brillante.

«E chi ha mai parlato di palco di rappresentanza? Non avete visto i biglietti che vi ho fatto avere tramite Khloe?» In realtà lui e Manuel non li avevano ancora tirati fuori dall'involucro.

«Saremo in loggione! Come i veri appassionati di opera!»

«Ah...»

«Non sia deluso. Si fidi di me: si divertirà ancora di più!»

Alla fine del primo atto, Ulisse aveva già mal di schiena. Star lì, in piedi, a quella distanza dal palco, non era esattamente quel che si definisce «divertente».

E soprattutto non era divertente per lui stare in mezzo a tutti quei melomani, fra i quali era riuscito a riconoscere, per fortuna qualche metro più in là, anche i tre ragazzi incrociati sulla navetta dell'aeroporto. Numero Uno e Numero Due mano nella mano, e Numero Tre a reggere il moccolo e a commentare qualsiasi cosa accadesse, in particolare ogni minima caduta nell'interpretazione dei cantanti, sottolineata da un loro prontissimo «buuu».

Comunque, il momento più toccante di tutto quel primo atto era stato durante il brano *Au fond du temple saint*, un duetto in cui i due protagonisti maschili dell'opera, il pescatore Nadir, tenore, e il capo dei pescatori Zugar, baritono, parlavano d'amore. Certo, lo facevano attraverso la figura della donna, Leila, ma parlavano insieme in realtà del loro sogno d'amore. Tanto che per molti gay *I pescatori di perle* era diventata, come gli aveva spiegato Khloe sussurrandogli nell'orecchio, un'opera di culto. E infatti il teatro era quasi venuto giù per via degli applausi.

Di fronte a tutto quell'entusiasmo, la ministra della Cultura, a un certo punto, gli aveva detto: «Lo sapevo che questa era la scelta giusta. Ci abbiamo riflettuto a lungo col direttore della Pink Opera Temple e siamo stati premiati. E poi qualcuno osa dire che con la cultura non si mangia! La cultura deve essere il motore dei Paesi evoluti!».

Si era dovuta interrompere quando un melomane al suo fianco, non riconoscendola, l'aveva zittita in malo modo con un sibilo da serpente.

Lei si era lasciata sfuggire una risatina e si era rimessa a guardare lo spettacolo, usando ogni tanto il suo cannocchiale portatile.

Era una donna straordinaria, pensò Ulisse. L'aveva appena conosciuta eppure era sicuro che fosse una persona davvero appassionata, che tenesse alla cultura sopra ogni altra cosa.

Forse la sua Mini tutta ammaccata non era solo un vezzo da radical chic. E poi quanto gli aveva detto sulla preservazione della cultura tradizionale greca gli era rimasto dentro.

Come sarebbero servite, in Italia, persone come lei!

Al primo intervallo, Ulisse la vide scattare verso l'uscita del loggione senza dire una parola. Un po' stranito si voltò in direzione di Khloe alla ricerca di spiegazioni.

«Avrà sicuramente visto qualcuno che vuole raggiungere al bar» disse la ragazza.

«E noi al bar non ci andiamo? Ti voglio offrire qualcosa...»

«Non mi sembrava che ci dessimo del tu.»

Ulisse le pose la mano sul braccio. «Da questo momento sì.»

Il bar era una sala lunga e un po' stretta, con alcuni tavolini ma in cui, per la maggior parte, le persone sostavano in piedi a chiacchierare su quanto avevano appena visto – che si trattasse sia dell'opera sia dell'abbigliamento, spesso parecchio appariscente, delle signore in sala.

Manuel sgambettava di qua e di là scattando fotografie. La ministra, proprio come aveva pronosticato la ragazza, era attorniata da un gruppo di donne che discutevano con fare animato – probabilmente di cultura.

«Una di quelle donne è la presidentessa della Fondazione Franca Valeri, che procura borse di studio ad artisti ancora studenti, e quell'altra, invece, la vedi?» disse Khloe. «Ecco, è il ministro dell'Istruzione» spiegò Khloe. «In questi giorni è al centro dell'attenzione perché si sta per approvare l'istituzione dell'ora di Educazione cinica fin dai primi gradi di scuola... è fortemente voluta dalla maggioranza del partito Orgoglio.»

«*Cinica*? Io da piccolo avevo l'ora di Educazione civica...»

«Anche noi: non c'è nulla di più importante, forse, per creare una società che viva in armonia. L'ora di Educazione cinica, infatti, va a sostituire quella di Religione che, come è immaginabile, è stata cancellata.»

«E a che servirebbe?»

«Ad affrontare meglio il mondo, come solo i gay sanno fare.»

«Educazione cinica...» ripeté Ulisse poco convinto.

«Piuttosto... cosa gliene sembra dello spettacolo?» chiese Khloe portando alla bocca il suo bicchiere di vino. «Anzi, scusa, cosa *te* ne sembra?»

Ulisse sorrise compiaciuto. Sembrava che tra loro due si fosse definitivamente rotto il ghiaccio. Era ora!

«Be', la regia a tratti è un po' ardita, ma a me le cose ardite piacciono. Niente da eccepire sui due protagonisti maschili: hanno davvero una bellissima voce e una grande presenza.»

«E il loro duetto è stato qualcosa di estremamente romantico, vero?»

«Vero. Non l'avrei mai detto che un duetto sull'amore tutto al maschile mi avrebbe potuto emozionare a tal punto.»

«E della star, la Populova, cosa ne pensi?»

«Be'...» Ulisse tossicchiò.

«Non aver paura. Giuro che non dirò niente a nessuno. E poi li hai sentiti tu stesso i "buuu" del popolo del loggione.»

«Loro sono stati addirittura esagerati! Però sono d'accordo, forse è ora che si ritiri dalle scene. La sua interpretazione è stata a dir poco imbarazzante!»

«Siamo d'accordo» sussurrò Khloe con fare cospiratorio, come per non farsi sentire. «Mi aspetto domani qualche critica sulle pagine culturali dei quotidiani, ma chi se ne importa? Il teatro è pieno, e così per tutte le successive repliche.»

«La ministra è una che ci sa fare, mi sembra.»

«Moltissimo.»

«E mi è piaciuto anche quanto ha detto sulla "vecchia" Grecia. Il mio timore, non appena ho messo piede fuori dall'aereo, è stato che tutta la nazione fosse stata trasformata in una sorta di parco a tema gay. E invece vedo che sì, c'è un gusto che a volte posso non condividere – per esempio mai e poi mai avrei dedicato un ospedale a Candy Candy! – ma tutto sommato mi sento a casa.»

Khloe scoppiò a ridere. «Posso capire, anche se ormai per noi è normale.»

«Però, dicevo, dietro a questo c'è un pensiero complessivo, e soprattutto c'è una grande cura dei dettagli, e forse è proprio questa ad aver fatto ripartire la Grecia – insieme ai capitali esteri, s'intende.»

«Mi spiace che ti fermerai solo ad Atene. C'è tanto altro da raccontare e riraccontare sulla Grecia.»

«Potrei decidere di fare un giro in Tessaglia a scoprire la terra d'origine della ragazza più bella di tutta Atene.»

Khloe avvampò. «Devo tornare a darti del lei?» minacciò.

«Non sia mai! Senti... programmi per il doposerata?»

La ragazza sollevò le sopracciglia. «Una bella dormita. Oggi ci siamo stancati e tu, lasciatelo dire, hai due occhiaie che fanno spavento!»

Come seguendo un riflesso condizionato, Ulisse sfilò gli occhiali da sole appesi al collo e se li mise sul naso. «Così va meglio?»

In quel momento sentirono un *clic*.

A poco più di un metro da loro Manuel gli aveva appena scattato una foto.

«Questa sarà la migliore di tutta la serata!» rise il ragazzo, per poi dileguarsi alla caccia di altri soggetti.

«Non mi sembrava così spiritoso, prima» commentò Khloe.

Ulisse si abbassò appena gli occhiali e la fissò con uno

dei suoi sguardi da manuale. «Neanche tu eri tanto simpatica fino a poco fa.»

«Colpita» ammise lei.

«E affondata?» chiese lui speranzoso.

«Vedremo... di sicuro non questa sera.»

Le luci che si spegnevano e accendevano annunciarono la fine del primo intervallo.

Khloe scattò verso il corridoio, veloce come un'anguilla. Ulisse le andò dietro: ancora gli stava sfuggendo, ma ormai la sua conquista si faceva sempre più vicina.

13
Capitolo bianco

«La nostra prima arma è la pace!»

Aveva esordito così il ministro della Difesa, con cui Ulisse aveva appuntamento quella mattina.

E forse non ci sarebbe stato neppure bisogno di quella precisazione. Quando l'automobile li aveva fatti scendere davanti alla sede del ministero, tutto parlava già da sé.

Per prima cosa, l'edifico si chiamava Palazzo Enola Gay, in onore del brano pacifista del 1980 firmato dagli Orchestral Manoeuvres in the Dark incentrato sul bombardiere americano che nel 1945 aveva sganciato l'atomica su Hiroshima.

La facciata del palazzo, poi, era un enorme arcobaleno che, oltre a essere il simbolo della rivendicazione dei diritti Lgbt, rappresentava il desiderio di pace nel mondo.

«Dove ci sono diritti, c'è pace» era stato il secondo proclama del ministro.

Ulisse si era trovato di fronte a questa figura imponente, con almeno il triplo dei suoi muscoli, i capelli tagliati corti e sparati in aria, una voce da ragazzino incazzato.

Inequivocabilmente lesbica, certo. E con un paio di palle che certi uomini potevano solo sognarsi!

Ulisse era contento di poter finalmente imbastire un'intervista su temi più delicati e di più ampio respiro.

«Quindi anche la Grecia arcobaleno ha un esercito?»

«Certo, dobbiamo pure difenderci da chi minaccia la nostra libertà» rispose la ministra, mentre Manuel le scattava una foto cogliendo alla perfezione il cipiglio che le era caratteristico.

«Cosa intende di preciso?»

«Ci sono Paesi – anche molto vicini – in cui il solo parlare di omosessualità è un reato. Il nostro stesso esistere come Grecia potrebbe essere visto da loro come una minaccia.»

«Ma anche in Italia? Lo crede davvero? Fino a quel punto?» domandò Ulisse scettico.

Il cipiglio della ministra si fece ancora più accentuato.

«Una cosa è certa: in tempo di crisi le minoranze, comprese quelle sessuali, diventano sempre il capro espiatorio di società che si percepiscono in qualche modo in pericolo, o che si sentono invase dal punto di vista geografico, politico, economico. E l'Italia è un Paese in crisi... L'odio serpeggia... sembra che gli unici problemi di questa nazione siano i migranti e il gender. Ci sono amministrazioni comunali che espongono cartelloni in cui si professano contrarie all'ideologia gender, per altro inesistente. E partiti politici che propongono il carcere per chi accede alla maternità surrogata... Non mi sembra poi così difficile pensare che, se questi partiti dovessero disgraziatamente prendere possesso del Paese, e la crisi economica peggiorasse, decidano davvero di passare alle armi... la storia ce lo insegna, purtroppo. Basti ricordare tutte le teorie assurde messe a punto dai tedeschi per giustificare l'odio verso il popolo ebreo... e non aggiungo altro. E poi penso che l'istinto alla guerra sia insito nell'uomo: va però educato e tenuto a bada. Persino nella nostra Grecia, che è ormai una nazione benestante, ci sono rigurgiti di questo tipo.» La ministra era un fiume in piena, con quella sua voce da ragazzino parlava come se stesse tenendo un comizio. «Anche noi abbiamo un flusso migratorio molto importante, formato da gay, lesbiche e trans che fuggono dai loro Paesi d'origine, dove rischiano la galera o, peggio, la morte. E alcuni arrivano perfino su barconi come da voi, in viaggi in cui rischiano la vita. Il governo li accoglie tutti, in fondo se la Grecia è rinata è pro-

prio grazie all'immigrazione iniziale. Ci sono anche parecchi etero, in realtà, che vogliono venire a vivere in Grecia.»
«Sul serio?» chiese Ulisse con eccessivo stupore.
«Sì, e non me ne stupirei: la Grecia è un Paese benestante, con molte possibilità. E soprattutto è un Paese inclusivo. Anche se c'è un partito extraparlamentare, I Rosa, che si oppone. Per loro gli etero che vengono a "rubare lavoro ai nostri gay" sono come fumo negli occhi...»
«Tipo la nostra Lega Nord!»
«Oddio. Non so se si arriva a tanto orrore e ignoranza, ma più o meno ci siamo intesi» disse la ministra lasciandosi sfuggire un rarissimo sorriso, che Manuel non mancò di immortalare col suo obiettivo.
«Comunque, capisco tutto, ma mi sembra molto difficile pensare che in Italia si possa arrivare alla situazione della Russia o, peggio, dell'Isis...»
«Prima del XIX secolo gli arabo-musulmani erano descritti come bisessuali per natura, nell'epoca in cui l'Impero Ottomano era forse la più grande potenza del mondo, paragonabile – che so – agli odierni Stati Uniti. E qui l'omosessualità era accettata, mentre in Europa spesso i "sodomiti", come venivano definiti, erano mandati al rogo. Guardi invece oggi com'è la situazione... totalmente invertita. Per questo, nonostante noi crediamo nella pace, ci siamo comunque dotati di un esercito. Un esercito, però, molto *particolare*.»
«Particolare in che senso?» Ulisse si raddrizzò sulla sedia. Dopo tutti quei discorsi seri aveva bisogno di una chicca da regalare ai suoi lettori.
«È un vero e proprio esercito dell'amore. Non so se lei sa cosa fosse il Battaglione Sacro di Tebe.»
«Battaglione Sacro di Tebe... Battaglione Sacro di Tebe...» ripeté Ulisse fra sé e sé, perdendosi con lo sguardo negli arredi spartani dell'ufficio della ministra fino a fissare lo sguardo in un vaso su cui era dipinto un uomo con la barba che faceva avance a un giovane con la lancia. Perfettamente in tema. «Non lo so» ammise alla fine, come duran-

te una terribile interrogazione accanto alla cattedra della professoressa di storia.

«Non lo si trova spesso sui libri di storia, in effetti. Si trattava di un corpo militare speciale, composto da militari professionisti non mercenari, tutti cittadini di Tebe. Aveva però una particolarità.»

Eccoci alla chicca, pensò Ulisse.

«Erano tutti gay?»

«Non solo. Erano *coppie* gay, in genere composte da un uomo maturo e da un giovinetto.»

«Ma coppie... nel senso...?»

«Sì, sì, ha capito bene. Coppie di innamorati. E pare proprio fosse questa peculiarità a dare ai combattenti tanta foga: ognuno era pronto a tutto pur di difendere sul campo la propria metà. E infatti il Battaglione Sacro di Tebe fu praticamente inarrestabile, almeno fino alla battaglia di Cheronea del 338 a.c., in cui fu sconfitto dalle truppe di Filippo II di Macedonia. E da questa battaglia suo figlio Alessandro prese grande ispirazione per le sue future conquiste.»

«Alessandro Magno! Di fronte a lui tutti si sono dovuti fermare, e in effetti senza di lui la Grecia non sarebbe stata la Grecia che conosciamo» disse Ulisse, come per recuperare la brutta figura fatta poco prima.

«Sì, certo» fece la ministra con un tono che sembrava dire: "Questo lo sanno anche i bambini delle elementari". E andò avanti: «Ovviamente il nostro Battaglione non è l'unico del nostro esercito e non è "sacro", il suo nome è il "Battaglione dell'Amore", e non ha neanche sede a Tebe, ma qui ad Atene, in una caserma che sorge nella periferia settentrionale della città. E poi non è composto solo da uomini, ma anche da coppie di lesbiche e di coppie con una trans».

«Le posso fare una domanda indiscreta?» la interruppe Ulisse.

La ministra soffiò col naso. «Certo» disse, ma era evidente che non gradiva essere interrotta.

«Come si svolge la vita nella caserma se gli abitanti sono tutte coppie? Voglio dire... ehm... Ci sono camere doppie?»

«Assolutamente no. Si tratta comunque di una caserma. I letti sono a castello, come sempre. Ma con una differenza: sono letti a castello matrimoniali.»

Ulisse cercò di visualizzare nella mente enormi letti a castello, una coppia per ogni letto. E dov'era l'intimità? Meglio, forse, non farsi domande.

«Ho capito. Ma, nell'attesa di un possibile e non auspicabile conflitto, quale ruolo hanno questi militari specializzati?»

«Per esempio, ne vedrà qualcuno in giro domani alla parata per la Giornata nazionale. Aiutano le normali forze dell'ordine a garantire la sicurezza. Come avrà sicuramente sentito c'è il rischio di attentati terroristici. Qualche omofobo resiste anche in Grecia.»

«Sì, l'ho sentito.»

«Per fortuna abbiamo anche noi i nostri Servizi Segreti.»

«Ah sì? Agenti in incognito... di che tipo?»

«Parrucchieri, truccatori, estetisti... tutti rigorosamente gay.»

Ulisse spalancò la bocca. «Cosa?!»

«Tutte le first lady di questo mondo amano farsi belle. E chiacchierare di cosa stanno facendo i loro mariti presidenti... Chi ha orecchie per intendere intenda...»

Strabiliante, pensò Ulisse. C'era da inventarci un romanzo: *Il parrucchiere della regina*, o *La toilette della verità*... materia da bestseller!

«E ora, se mi permette, ho una mattinata densa di impegni» annunciò la ministra alzandosi in piedi in tutta la sua imponenza e tendendo la mano a Ulisse.

Preso alla sprovvista, il giornalista si alzò anche lui dalla sedia, imitato da Khloe, che gli venne in soccorso: «Grazie, ministro».

«Grazie» ripeté Ulisse stringendole la mano.

«Grazie» mormorò Manuel scattando l'ultima fotografia.

«Grazie a voi» concluse la ministra, e aggiunse, a voce alta: «E ricordate, la nostra prima arma è la pace. Sempre!».

Detto questo fece un cenno alle due guardie che erano rimaste alla porta per l'intera durata dell'intervista, e che avevano soprattutto tenuto d'occhio Manuel nei suoi movimenti in giro per la stanza. Si fecero avanti per scortare Ulisse e gli altri fuori dall'edificio.

«E adesso dove si va?» domandò il giornalista quando furono di nuovo all'esterno, il sole ateniese di mezzogiorno a picchiare sulle loro teste, e i colori della facciata di Palazzo Enola Gay che quasi scintillavano.

«Siete pronti all'unica parentesi triste di questo viaggio?» annunciò Khloe.

Il Rock Hudson Memorial sorgeva in un'ex area industriale di Atene. Vi si accedeva da uno spiazzo silenzioso – un lastricato chiaro con aiuole di platani –, alla fine del quale si innalzava un altissimo cancello bianco, chiuso. L'entrata, per i visitatori, era una porticina laterale, in cui si passava uno per volta.

Quando la varcarono, Ulisse, Khloe e Manuel si ritrovarono davanti a una gigantesca conca ricoperta di erba che si estendeva a perdita d'occhio e all'interno della quale si susseguivano, disposte a scacchiera, delle lapidi bianche, completamente lisce. Sopra ognuna di esse faceva mostra di sé un fiocco rosso.

Manuel imbracciò subito la macchina fotografica e cominciò a scattare fotografie. Senza aspettare gli altri si inoltrò fra le lapidi e presto fu solo un puntino lontano che si muoveva, insieme a pochi altri visitatori, in quel silenzio irreale.

Ulisse rimase immobile, col cuore che gli batteva forte. Era da tanto che non provava un'emozione così violenta.

«È il memoriale per le vittime dell'Aids, vero?» riuscì a mormorare dopo un po'.

«Sì, Ulisse» rispose Khloe. «È uno dei luoghi più struggenti di Atene.»

«Non sembra neppure di essere nel mondo reale.»

«E invece è tutto *reale*... purtroppo.»

Proprio lì all'ingresso alcuni pannelli spiegavano la storia di questa malattia, dalla scoperta, nei primi anni Ottanta, quando ancora veniva chiamata Grid (Gay-Related

Immune Deficiency), al grido di vittoria di certa cristianità, che la vide come una giusta punizione divina al peccato dell'omosessualità, fino all'introduzione di farmaci antivirali quali l'Azt, e agli scenari degli ultimi anni, con un nuovo calo della soglia dell'attenzione e un boom dei contagi. Altri pannelli erano dedicati a personaggi famosi vittime dell'Aids: in primo luogo l'attore Rock Hudson, la prima celebrità internazionale ad ammettere di aver contratto il virus dell'Hiv, e morto nel 1985; poi il cantante Freddie Mercury, il pianista Liberace, il ballerino russo Rudolf Nureyev, fino ad arrivare agli italiani Dario Bellezza e Pier Vittorio Tondelli, entrambi morti negli anni Novanta.

Ulisse, seguito da Khloe, si inoltrò anch'egli tra le lapidi, che non erano vere tombe, ma solo simboli a memoria delle migliaia e migliaia di vittime di quella terribile malattia, per cui il mondo scientifico ancora non aveva trovato una cura definitiva e che ancora rappresentava, anche all'interno di grandissima parte del mondo omosessuale, un tabù. Lo dicevano le statistiche delle più grandi città europee: pochi i sieropositivi che avevano coraggio di fare coming out, tanti quelli che vivevano la loro malattia in silenzio, nascondendo a tutti le terapie che dovevano seguire, e troppi quelli che, piuttosto di affrontare la verità, evitavano di sottoporsi ai test e rimanevano portatori, alimentando il contagio, anche fra i giovanissimi.

E in quel momento ripensò ad Alberto, un collega giornalista, morto due anni prima per un tumore sorto in seguito all'Hiv. Non pensava mai a lui, lo conosceva di vista.

Di Aids non si parlava praticamente più. Trovati dei farmaci grazie ai quali i pazienti avevano potuto avere aspettative di vita simili a quella delle persone non affette, era come se la malattia non esistesse. Eppure esisteva, eccome, e continuava a mietere vittime.

"E di questo 'X-Style' dovrebbe parlare..." pensò Ulisse. "So che non è un argomento *cool*, e che la Milano della moda vuole sentire parlare di tutto tranne che di Hiv, ma appena torno in Italia devo fare un discorsetto a Riccobono."

«A cosa stai pensando?» lo riportò alla realtà Khloe.

«Che dovrebbe esserci un Rock Hudson Memorial in ogni città.»

Khloe sorrise. «Lo penso anch'io. Spero che presto si possa trovare una cura... Noi ci stiamo provando, all'Istituto di Ricerca Ippocrate, a Patrasso, dove si sono riuniti alcuni dei più grandi luminari della medicina. E siamo ottimisti. Presto ce la faremo.»

Si sedettero fra quelle lapidi. Ad ascoltare il silenzio che li circondava. Un silenzio affollato di voci. Delle prime vittime di quella malattia, morte senza sapere di cosa, e poi di quelli che, in cima a una vita di successo, avevano scoperto di aver scherzato col fuoco e si erano ritrovati ad affrontare per la prima volta le paure più ancestrali: la sofferenza e la morte.

Ulisse sperò che quelle voci potessero giungere, chissà come, nell'aria o attraverso le parole che presto lui stesso avrebbe scritto, anche a chi – in Italia e in tutto il mondo – evitando di aprire la confezione di un preservativo pensava: "Tanto non potrà mai succedere a me".

Quel pomeriggio tornarono presto in albergo. Erano tutti stanchi.

Khloe si congedò all'ingresso dell'Hotel Almodóvar, dicendo che la sera non si sarebbero visti: Ulisse e Manuel avevano la serata libera per visitare il centro di Atene, o per qualsiasi cosa desiderassero fare.

«Mi permetto solo di consigliarvi il quartiere di Gazi. Si tratta dell'ex quartiere gay di Atene, ora una sorta di monumento a cielo aperto, visto che in una città come Atene non c'è più bisogno di quartieri specifici. Però ancora oggi è molto animato, specie da single in cerca di avventure...»

«Potrebbe essere divertente. Tu sei sicura di non volerti fare un giro?»

Khloe sorrise. Per la prima volta, Ulisse le vide sul viso un po' di stanchezza. Ma non per questo, pensò, era meno bella.

«No, te lo assicuro. Domani c'è la parata... e ho alcune

cose di cui occuparmi, oltre ad accompagnare di qua e di là i giornalisti italiani» rise.

«Ok, messaggio ricevuto. Vorrà dire che ci vedremo domani. E non aspetterò altro che quel momento.»

La ragazza scosse la testa ma senza smettere di sorridere.

E Ulisse non poté che pensare sempre la stessa cosa: era bellissima.

14
Capitolo grigio

Per Ulisse quella serata doveva rappresentare una parentesi di riposo, dopo una giornata di interviste e visite, e prima di una giornata che si annunciava tanto esaltante quanto impegnativa. Invece era cominciata nel modo più deprimente possibile.

Poco prima di uscire in direzione del quartiere di Gazi Manuel aveva infatti ricevuto una delle indesiderate telefonate di sua madre e aveva finalmente deciso di rompere ogni sua diga, sfogandosi con l'unica persona vicina che avesse in quel momento: Ulisse Amedei.

«Hai ragione tu, Ulisse. La mia famiglia mi condiziona ancora troppo. Delle volte con i ragazzi mi blocco perché, inconsciamente, non mi concedo la possibilità di rendermi felice.»

«Cos'è, hai letto un manuale di psicologia fai-da-te ieri sera?» cercò di sdrammatizzare Ulisse, la cui speranza era di concludere in fretta e furia quella discussione. Per esperienza sapeva che quando le persone introverse e taciturne iniziavano a parlare era la fine: diventava impossibile fermarle. E lui in quel momento aveva solamente voglia di raggiungere in fretta un ristorante, mettere qualcosa di buono sotto i denti e poi farsi un giro, bere un superalcolico e assaporare l'atmosfera della vigilia della Giornata nazionale.

«Ma no, ho pensato alle tue parole, al fatto che non ho il

coraggio di provarci con Costa, anche se mi piace da morire, e anche a lui, a quanto pare, io piaccio.»

«Vedi, le cose sembrano semplicissime...» fece Ulisse estraendo dalla tasca la cartina della città per vedere quale direzione dovessero prendere per raggiungere Gazi.

«E allora come faccio?»

Ulisse cominciava a essere irritato. Gli sembrava di parlare con un quindicenne che non aveva ancora dato il suo primo bacio, non con un trentenne affermato e che viveva a Milano da solo.

«Perdonami una cosa, Manuel» disse abbassando di colpo la cartina e fissandolo negli occhi, «ma ogni volta che devi scopare ti fai tutte queste paranoie?!»

Il ragazzo stiracchiò un sorriso. «Ma no, certo. Però, insomma, in quei posti» aggiunse abbassando la voce «non ci si fanno problemi. Lì sì che è davvero tutto semplice.»

«... Posti?»

«Sì, dài, hai capito.»

«Davvero, no, non ho capito.»

«Hai presente... le saune, i cruising...»

Ulisse rimase a bocca aperta. Non si aspettava che un tipetto timido come Manuel frequentasse luoghi del genere. Se lo immaginava più come un fanatico delle chat, uno di quelli che – come raccontava Marco, l'amico di sua moglie – poi all'ultimo, dopo secoli di chattate, scomparivano o rimandavano all'infinito il momento dell'incontro dal vivo.

«Hai capito, il nostro Manuel... E, senti, sono posti molto frequentati?» chiese Ulisse facendogli segno di avviarsi.

«Alcuni sì, specialmente nel weekend.»

«Tu entri e...?»

Sulla strada verso Gazi, mentre prendevano la metropolitana per scendere alla fermata Anne Bonny, in onore della piratessa lesbica del XVIII secolo, Ulisse volle sapere tutto. Se era necessario avere una tessera, che abbigliamento dovevi indossare, quali erano le tipologie di approccio, dove si consumavano i rapporti, se spesso c'era un seguito.

Di quello Marco non gli aveva mai raccontato niente durante le cene con Sonia, forse perché gli sembrava sconveniente parlarne davanti a una donna. O forse semplicemente non ci andava: magari era il tipo da approccio al pub, pensò Ulisse, un po' come lui.

Chi l'avrebbe mai detto: lui e Marco potevano avere qualcosa in comune!

Comunque, tutto quel parlare di sesso lo divertiva. Per gli eterosessuali c'era qualche club privé, e ora si stava diffondendo la moda del *dogging*, letteralmente «portare fuori il cane», in cui due estranei si davano appuntamento in un luogo pubblico, dove fare sesso. Ma non era nulla di così sfacciato e rapido come ciò che Manuel gli aveva raccontato a proposito di cruising bar e saune gay.

Alla fine, però, gli sorse spontanea una riflessione: «Forse è pure fin troppo semplice...». E, pensando a Khloe: «Senza prima un po' di fatica per giungere alla conquista, io non so se ci proverei poi tanto gusto».

«Sì» disse Manuel. «All'inizio è parecchio divertente. O almeno, eccitante. Specie per un timido come me. Poi, però, quando torni a casa da solo, tutto il divertimento scompare... in un soffio.»

«Non fare il melodrammatico, adesso, eh! Intanto ti sei divertito!»

«No, no, certo...» rispose Manuel. Non riusciva a vederlo bene in viso, nel buio della sera, ma Ulisse era sicuro che fosse arrossito.

«Comunque, mi pare di capire che vuoi cominciare a fare qualche conquista anche al di fuori di quegli ambienti.»

«Mh.»

«Certo che se non diventi un po' meno timido sarà molto, molto difficile.»

«È il mio problema.»

«Questo l'abbiamo appurato. Però ora non ricominciamo con l'autoterapia, mi raccomando.»

Poi, finalmente, uscendo dalla metropolitana, videro comparire il gasometro simbolo di Gazi.

Il quartiere infatti sorgeva su una ex fabbrica di gas. Era

stato nel 1999, quando lì venne insediato Technopolis, il più grande centro culturale della città, che il destino di Gazi era cambiato: da zona malfamata era diventato il centro della movida, con una ventina di teatri, oltre sessanta fra ristoranti e bar e persino un cinema all'aperto. E tutti i locali gay più frequentati di Atene.

Oggi alcuni di quei locali, così come gli aveva anticipato Khloe, erano diventati quasi un'istituzione, la memoria storica di una città che non aveva più bisogno di ritagliarsi un quartiere gay, visto che gay ed etero convivevano alla perfezione in tutta la capitale.

Ma il quartiere era comunque rimasto splendido, pieno di vita.

All'ombra di quel gasometro, che era stato ridipinto color oro in omaggio alla gabbia degli uccelli della poesia di Prévert, c'erano centinaia e centinaia di persone che passeggiavano per le vie, che bevevano qualcosa in piedi o sedute ai tavolini di un bar. E c'erano artisti di strada che si esibivano come mangiafuoco, giocolieri, oppure come cantanti o musicisti. C'era anche un gruppo di drag king, donne travestite da uomo, che avevano messo in piedi un piccolo spettacolo.

Si respirava un'atmosfera unica. Neanche Trastevere alla luce della luna era così magica, forse.

A un certo punto, nella folla, Ulisse individuò un volto noto: "Quando il destino ci mette il suo zampino" pensò.

Costa era a pochi passi da loro, accerchiato da alcuni amici. Anche Manuel se n'era accorto, evidentemente. Era immobile, lo sguardo fisso: il ritratto del terrore.

«Vediamo se riusciamo a mettere in pratica i buoni propositi già da stasera» disse Ulisse facendo un passo in avanti.

«Ehi, cosa hai in mente?» chiese Manuel bloccandolo per la giacca.

«Solo salutare un amico.»

Detto questo, si avvicinò al gruppo di ragazzi e diede a Costa una pacca sulla spalla.

«Signor Amedei!» esclamò lui. «Cosa ci fa qui in giro?»

Gli altri ragazzi osservavano incuriositi la scena. Uno di loro, un piccoletto che aveva l'aria di essere un pettegolo da competizione, stava squadrando Ulisse da capo a piedi.

«Io e Manuel volevamo visitare il quartiere» rispose in inglese, per farsi capire da tutti.

«C'è anche Manuel?» chiese Costa.

«Sì, certo, è qui con...», ma quando Ulisse si voltò Manuel non era più lì. Lo vide pochi metri più in là a scattare fotografie del gasometro, per poi, accortosi che tutti lo stavano fissando, avvicinarsi timoroso al gruppo.

«Ehi. Ciao.»

«Ciao, è bello vederti» disse Costa.

I ragazzi attorno a lui, come annusando aria di «filarino», sollevarono le sopracciglia aspettando in silenzio le mosse successive.

«Grazie... anche per me» rispose Manuel.

Chissà quanto gli sarà costato dirlo, pensò Ulisse ridendo dentro di sé.

«Io ho una proposta» disse Costa. «Io e i miei amici», loro al sentirsi nominati sorrisero all'unisono, «stiamo andando al Leonard Bernstein Auditorium per il concerto di Rufus Wainwright.»

«Rufus Wainwright?» esclamò Ulisse. «L'ho intervistato anni fa, è fantastico!»

«Comunque, il concerto inizia tra un'ora e pare ci siano ancora dei biglietti disponibili. Volete unirvi?»

Manuel guardò Ulisse, aspettando che fosse lui a prendere in mano la situazione. E il giornalista non ci pensò due volte.

«Io, purtroppo, non posso unirmi. Ho un appuntamento tra un'ora con uno stilista che vuole presentarmi la sua collezione. Però Manuel, assolutamente, sarà dei vostri.» E spinse il ragazzo al centro della compagnia, quasi fra le braccia di Costa.

«Ma di quale stilista stai parl...»

«Manuel, sono affari miei. Tu non preoccuparti, vai e divertiti. Costa, te lo affido. È tutto tuo!»

Qualcuno fra i ragazzi si fece sfuggire un risolino. Pochi

attimi dopo erano scomparsi nella folla, portandosi dietro un Manuel ancora un po' spaesato e lasciando Ulisse lì da solo, a capire cosa fare del resto della sua serata.

Per prima cosa telefonò a Riccobono per aggiornarlo sugli sviluppi e per ricevere la sua prima dose di complimenti per gli articoli che aveva già spedito, poi proseguì nella visita del quartiere. Prese da bere in un bar molto simile alla casa di Barbie, visitò una mostra di artisti gay emergenti allestita dentro l'ex gasometro, e poi si inoltrò nelle vie minori.

Qui vide piccole botteghe di artigianato aperte anche di sera, abitazioni al piano terra con porte e finestre spalancate, al di là delle quali persone cenavano, ridevano, guardavano la tv. Vide anche gli ingressi dei cruising bar di cui aveva discusso con Manuel. Per un momento fu curioso di entrare per darci un'occhiata di persona, poi però decise che si sarebbe fatto bastare i racconti del suo fotografo. E proseguì nella sua passeggiata.

Man mano che camminava, gli schiamazzi allegri della vita notturna si facevano sempre più distanti, e il gasometro pian piano scompariva dietro i palazzi.

Non sapeva bene dove stava andando. Ma camminava, camminava, e il suo occhio registrava, registrava. Prima di tutto i nomi delle vie: via E.M. Forster, viale Aldo Busi, largo Gertrude Stein, via Alan Turing, piazza Tennessee Williams, via Federico García Lorca, piazzetta George Cukor, piazzale Cristopher Isherwood... di alcuni Ulisse non sapeva fossero omosessuali. Poi le architetture dei palazzi: Atene, in quegli anni, era diventata molto più eclettica, accanto a edifici tradizionali c'erano palazzi dalle fogge più strane e coraggiose grazie alla presenza di architetti da tutto il mondo, ma vide anche diverse costruzioni ancora abbandonate, segno che l'esilio post crisi era una ferita non del tutto rimarginata.

All'improvviso – era già una buona mezzora che camminava – vide qualcosa che attirò subito la sua attenzione. Il nome di Walt Whitman che campeggiava sul cartello all'inizio di una via era sbarrato con una grossa x nera. Sotto vi era un nome greco, probabilmente l'intestazione originaria. Di fianco, sulla facciata della parete, con una bomboletta spray era stato scritto: ETERO STREET.

Metà degli edifici di quella strada erano abbandonati, alcuni con addirittura le sbarre alle finestre, ma Ulisse vide anche un bar, ora con la serranda abbassata ma con la lista illustrata dei gelati confezionati appesa accanto all'ingresso. Dietro il vetro di qualche finestra si scorgeva la luce mobile dei televisori, ma il volume era tenuto basso, evidentemente, perché Ulisse non udiva altro che uno strano, e un po' inquietante, silenzio.

Ecco l'Atene che non ci stava. Chi c'era dietro quelle finestre? Omofobi? O semplicemente persone avanti con gli anni che non avevano retto allo shock di assistere allo spettacolo della propria città che prima si svuotava e poi cambiava del tutto? E che magari si erano viste costrette a frequentare uno dei corsi di rieducazione per omofobi di cui aveva parlato il deputato Bear alla cena con la ministra delle Icone. Certo, non doveva essere stato facile per loro. E in qualche modo era comprensibile che ora si trincerassero in quella specie di ghetto.

Ma Ulisse non riusciva a fare a meno di pensare, gettando un'occhiata verso il gasometro dorato attorno al quale si articolava la vivace e bellissima vita di Gazi, che quella Etero Street fosse qualcosa di estremamente triste. D'altronde, per le strade di Atene non aveva visto soltanto omosessuali mano nella mano o drag queen – sebbene ne avesse viste più in due giorni lì che in tutta la sua vita – ma anche tante famiglie eterosessuali, con un figlio sul passeggino e l'altro che zampettava accanto ai genitori.

Se solo avessero voluto, quelle persone che ora stavano, così tristemente, dentro le loro case di via Walt Whitman avrebbero potuto aprire la porta e farsi una passeggiata fino a Gazi, fino al divertimento, fino alla vita... fino all'amore.

E invece avevano istituito l'Etero Street.

Ulisse fece qualche passo all'indietro, fece in tempo a vedere un paio di teli appesi ai davanzali – ORGOGLIO ETERO E NO GAY –, quindi si voltò e ritornò da dove era venuto, lo scintillio del gasometro illuminato come una stella polare che lo guidava nella giusta direzione.

15
Capitolo arancione

Forse non era stato così nervoso dai tempi dell'esame di maturità, che ancora qualche volta si sognava: lui davanti all'orrida professoressa di inglese della commissione esterna che, a conclusione di un esame fino a quel momento abbastanza brillante, lo aveva costretto ad affrontare una lunga – nei suoi ricordi infinita – conversazione in lingua a proposito dei suoi progetti di studi futuri. Proprio lui, che non pensava che alle vacanze a Riccione e alle ragazze che avrebbe conosciuto la sera nella discoteca sulla spiaggia.

Quella mattina, con il pensiero di stare per intervistare il presidente della Repubblica greca Costantino Dukas, Ulisse si sentiva un po' così. Come davanti a un plotone d'esecuzione, costretto a parlare in inglese. Certo, il suo inglese dai tempi della quinta liceo era migliorato, e non poco, ma lo stesso si era svegliato alle sei e da allora non era più riuscito a chiudere occhio.

Su una cosa non c'era dubbio: quel viaggio in Grecia non stava facendo bene alla qualità del suo sonno.

Verso le sette decise allora di alzarsi. Prese di nuovo due lattine dal frigobar e se le piazzò sopra le orbite oculari. Quindi decise di fare qualcosa che non faceva mai: un tuffo in piscina di prima mattina.

Immerso nell'acqua trasparente che sapeva di cloro, si

sentì rigenerato. Almeno fino alla quarta vasca, quando gli cominciò a mancare il fiato. Ne finì giusto un'altra, e a dorso, quindi si tirò fuori ansimando come alla fine di una maratona estenuante.

Un quarto d'ora più tardi, dopo una doccia veloce ed essersi infilato qualcosa di comodo, era nel salone della colazione dove, con sua grande sorpresa, vide che Manuel era già lì, con davanti una tazza di caffè americano fumante e una fetta di torta vegana – in quel ristorante il salutismo era la parola d'ordine.

D'altronde, come aveva scoperto, in Grecia la dieta era obbligatoria. E se non c'erano state ancora sanzioni era perché le forze dell'ordine, e in particolare la Polizia del Buongusto, avevano ben altro a cui pensare: l'acrilico e le sopracciglia ad ali di gabbiano, a quanto pareva, erano una vera e propria piaga sociale.

«E tu che ci fa qui?»

«Potrei farti la stessa domanda.»

«Ma il giornalista sono io, fino a prova contraria.»

«Ero nervoso.»

Ulisse si lasciò andare. «A chi lo dici! Non ho mai intervistato un capo di Stato... dopotutto sono solo un giornalista di life style: che gli posso chiedere senza sembrare un deficiente?» Si interruppe un attimo. «Ma scusa? E tu di che hai paura? Devi solo fotografarlo!»

Manuel mandò giù un sorso di caffè, e prima di rispondere lasciò passare qualche secondo torturando una bustina di zucchero: «Mi sa che mi sono innamorato».

"Del presidente?" stava per rispondere Ulisse, ma poi si ricordò che la sera prima aveva lasciato Manuel in compagnia di Costa e dei suoi amici. «Fermo qui» disse, «vado a prendere qualcosa da mangiare e poi parliamo con calma.»

Quando finalmente anche lui ebbe davanti a sé una tazza di tè verde al mirtillo e una ciotola di cereali con yogurt greco, chiese: «Quindi il concerto di Rufus è stato galeotto?».

«Per me, almeno, sì.»

«E...?»

«E ora non so cosa fare.»

«Dimmi prima cos'è successo, altrimenti non capisco» disse Ulisse affondando il cucchiaio nella ciotola di cereali.

Chi lo avrebbe mai detto che sarebbe diventato il consulente sentimentale di un ragazzo gay?

Manuel gli raccontò di come il concerto fosse stato bello: avevano cantato, ballato, si erano commossi, si erano scattati fotografie e avevano bevuto.

Costa si era rivelato un ragazzo pieno di vita, allegro, oltre che bellissimo e, in una parola, Manuel ora era cotto. E a puntino.

Non si erano ancora nemmeno baciati, la loro prima volta era un miraggio, ma per Manuel era l'amore della sua vita.

«E perché non ti sei fatto avanti?»

«Non volevo mostrarmi troppo sfacciato, e poi c'erano i suoi amici!»

Ulisse scosse la testa, sconsolato. «Dài, finisci la colazione, altrimenti facciamo tardi dal presidente!»

Una cosa lì ad Atene non era cambiata, e forse non sarebbe cambiata mai: la cerimonia del cambio della guardia davanti al monumento dedicato al Milite Ignoto posto in piazza XXVIII Giugno, l'ex piazza Syntagma, di fronte al Parlamento.

Se non avesse saputo che era una tradizione, Ulisse avrebbe pensato che si trattasse di un'altra delle novità apportate dalla rivoluzione arcobaleno.

Con il loro gonnellino bianco a piegoline, la calzamaglia bianca, le giarrettiere nere, il fez in panno rosso con nappa di seta nera, e quelle pantofole enormi con punta ricurva, gli euzoni – così venivano chiamati quei soldati scelti di fanteria di montagna – erano forse la cosa più gay che avesse visto fino a quel momento. La loro cerimonia per certi versi sembrava un balletto: a un certo punto sembrava addirittura che si esibissero in un numero di tip tap.

«Pensavo vi avrebbe fatto piacere fare una breve tappa qui prima di andare alla residenza del presidente, che si trova un po' fuori dal centro» disse Khloe, che quel giorno si era vestita di tutto punto, curata fino all'ultimo dettaglio: dalla piega dei capelli allo smalto delle unghie. D'altronde, non si può che essere perfetti al cospetto di un presidente. «Sì, ci voleva. Questo spettacolino ha sciolto un po' di tensione» fece Ulisse sgranchendosi le braccia.

«Non dirmi che sei agitato.»

«Lo confesso. Ulisse Amedei, lo sbruffone giornalista milanese, è agitato.»

«Non devi, se c'è una persona che – ne sono sicura – ti metterà a tuo agio, quella è proprio il presidente Costantino Dukas.»

«Dalle foto sembra, in effetti, un tipetto a modo.»

«E lo è.»

Era vero. Costantino Dukas, con quel suo volto mite, gli occhi lievemente all'ingiù, e la parlata lenta, unita a una voce non molto profonda, sembrava un caro e fidato vecchio amico di famiglia.

Aveva chiesto a Manuel di fotografarlo prima dell'intervista, e aveva anche voluto che Khloe rimanesse fuori dalla porta.

In quella stanza dai soffitti alti, con alle pareti numerose fotografie tra le quali Ulisse riconobbe alcuni dei più famosi scatti dei moti esplosi all'indomani del default della Grecia, c'erano soltanto loro due.

La prima cosa di cui Ulisse si rese conto fu che Costantino Dukas era greco, e amava alla follia la sua terra.

Senza neanche aspettare che Ulisse cominciasse a intervistarlo lui infatti gli chiese cosa avesse visitato, e se aveva in mente di prolungare il suo soggiorno oltre la Giornata nazionale. Poi gli raccontò delle sue origini: era nato a Delfi, la città dell'Oracolo, in una famiglia numerosa.

Era il secondo di sette fratelli, tre femmine e quattro maschi, due dei quali gay. Lui, però, dei due, era l'unico a essere sopravvissuto.

«Mi spiace» disse Ulisse prima ancora di sapere altri particolari, come per sollevare l'interlocutore dal raccontarli.

Ma il presidente aveva voglia, invece, di raccontare. «Non è per difendere i miei diritti di omosessuale – che all'epoca qui in Grecia mi erano negati – che sono sceso in politica, ma per onorare la memoria di mio fratello e impedire che storie come la sua si ripetessero.»

Ulisse era combattuto. Doveva aspettare che fosse il presidente ad andare avanti con le spiegazioni o si poteva permettere di incalzarlo?

Per fortuna Dukas, forse notando il suo imbarazzo, proseguì subito nel racconto.

«Si è suicidato» disse prendendo un respiro. «Forse si sentiva poco amato dai miei genitori, che erano religiosissimi, quasi fondamentalisti, o forse non è riuscito più a sopportare gli insulti dei coetanei... i ragazzini possono essere crudeli, si sa. Fatto sta che, a sedici anni, mio fratello ha deciso di togliersi la vita a causa di atti di bullismo.»

«E questo avviene ancora oggi...» soggiunse Ulisse.

«Così come avviene che persone vengano aggredite e picchiate brutalmente per strada solo perché considerate diverse.»

Era vero, rifletté Ulisse. In Italia quelle notizie erano ancora all'ordine del giorno. E nonostante questo c'era chi arrivava persino a dire che l'omofobia era solo nella testa degli omosessuali. I giornali, poi, non ne parlavano che in qualche trafiletto. E di questo, come rappresentante della categoria, non poteva che sentirsi colpevole anche lui.

«In Grecia tutto ciò non avviene più, per fortuna, se non in casi straordinari... e questo non perché sono state rafforzate le forze dell'ordine, ma perché è la società stessa che ora giudica l'omofobo, il quale è ridotto nell'angolo e non si sente più legittimato a malmenare qualcuno solo perché gay. Se si cresce in un mondo in cui è normale insultare qualcuno, usare aggettivi dispregiativi e ridere di un orientamento sessuale, allora sarà più facile che esploda anche la violenza.»

Poi il presidente si alzò in piedi e andò a una parete, dov'era appeso un foglio di pergamena. Da quella distanza Ulisse non riusciva a vedere bene, ma Dukas lo invitò ad avvicinarsi.

«Questi sono i punti fondamentali della nostra Costituzione» spiegò il presidente. «Su, legga il primo.»

Art. 1) La nostra è una Repubblica democratica, fondata sulla forza e sulla bellezza della diversità.

«Era questo il mio sogno. Fare della Grecia una patria in cui chi è diverso dalla maggioranza potesse sentirsi forte come chiunque, senza mai vergognarsi di quello che è. Perché, ognuno, fortunatamente in fondo è diverso dagli altri...»

«E tutti siamo uguali...» finì la frase Ulisse.

Poi proseguì nella lettura.

Art. 2) La Repubblica riconosce e garantisce i diritti inviolabili dell'essere umano, sia come singolo sia nelle formazioni sociali ove si svolge la sua personalità, e richiede l'adempimento dei doveri inderogabili di solidarietà politica, economica e sociale.

«Presidente, mi scusi, ma questo è quasi identico alla Costituzione italiana!» esclamò Ulisse.

«Perché non ispirarsi un po' quando esiste un esempio tanto eccezionale? La Costituzione italiana è una grande carta dei diritti, forse la più grande... Peccato che non sempre venga applicata fino in fondo...»

Ulisse si limitò a fare un respiro e andò avanti nella lettura. Molto, in effetti, era ripreso dalla Costituzione italiana, anche se a volte c'erano precisazioni e aggiunte ad hoc, impossibili da non notare.

Art. 3) Tutti i cittadini hanno pari dignità sociale e sono eguali davanti alla legge, senza distinzione di sesso, di orientamento sessuale, di razza, di lingua, di religione, di opinioni politiche, di condizioni personali e sociali. È compito della Repubblica rimuovere gli ostacoli di ordine economico e sociale, che, limitando di fatto la libertà e l'eguaglianza dei cittadini, impediscono il pieno sviluppo della persona umana e l'effettiva partecipazione di tutti i lavoratori all'organizzazione politica, economica e sociale del Paese.

Art. 4) La Repubblica riconosce a tutti i cittadini il diritto al lavoro e promuove le condizioni che rendano effettivo questo diritto. Ogni cittadino ha il dovere di svolgere, secondo le proprie possibilità e la propria scelta, un'attività o una funzione che concorra al progresso materiale o spirituale della società, fermo restando che tutto sia favoloso, di buon gusto e di ottima qualità.

Art. 5) Lo Stato e le Chiese sono, ciascuno nel proprio ordine, indipendenti e sovrani, MA DAVVERO! Le Chiese si devono occupare solo della spiritualità.

Leggendo quel «MA DAVVERO!» scritto in maiuscolo dell'articolo 5, e pensando al servilismo di certi partiti italiani nei confronti del Vaticano, Ulisse non riuscì a trattenere una risatina. Forse avevano ragione, lì in Grecia, a chiamare l'Italia Repubblica Italo-Vaticana!

Art. 6) La Repubblica promuove lo sviluppo della cultura e la ricerca scientifica e tecnica. Tutela il paesaggio e il patrimonio storico e artistico della Nazione, NON DIMENTICANDO NESSUNO.

Art. 7) L'ordinamento giuridico si conforma alle norme del diritto internazionale generalmente riconosciute. La condizione giuridica dello straniero è regolata dalla legge in conformità delle norme e dei trattati internazionali. Lo straniero, al quale sia impedito nel suo Paese l'effettivo esercizio delle libertà democratiche garantite dalla nostra Costituzione, ha diritto d'asilo nel territorio della Repubblica secondo le condizioni stabilite dalla legge. Gay, lesbiche e transessuali ricevono subito la cittadinanza, gli eterosessuali dovranno dimostrare di essere gay-friendly.

Art. 8) La nostra Repubblica, trovandole VOLGARI E DI CATTIVO GUSTO, ripudia le guerre come strumento di offesa alla libertà degli altri popoli e come mezzo di risoluzione delle controversie internazionali.

E a Ulisse non poterono non venire in mente le parole del ministro della Difesa. Anche se, era convinto che eventuali nemici della Grecia avrebbero tutti fatto una brutta fine se fossero finiti sotto le sue grinfie. Fu così che arrivò al nono dei punti fondamentali della Costituzione greca, quello sulla bandiera.

Art. 9) La bandiera della Repubblica è l'arcobaleno.

«Questo era prevedibile!» disse Ulisse con un sorriso.

«È una bandiera meravigliosa, in cui ogni colore ha un significato ben preciso, e che ormai è riconosciuta in tutto il mondo, sia come bandiera di pace che come vessillo dei diritti Lgbt» disse Dukas. «Solo in Italia» aggiunse sollevando un sopracciglio «ci si ostina a rifiutarla come tale...»

Ulisse fece un sospiro, non sapendo che dire.

«E ora è arrivato il momento di leggere l'ultimo articolo, che è il più importante della nostra Costituzione!» disse il presidente come per sollevarlo dall'imbarazzo.

Ulisse lesse:

Art. 10) I gay sono tutti sensibili, creativi e sono i migliori amici delle donne.

Rimase in silenzio, senza avere il coraggio di alzare lo sguardo verso il presidente, che però a un certo punto sentì scoppiare a ridere.

«Ci cascano sempre tutti gli ospiti stranieri!»

Ulisse restò a bocca aperta: ci era cascato.

«Sì» spiegò il presidente, «lo uso per destabilizzare un luogo comune che vede noi gay come persone, appunto, sensibili, creative... quando invece chiaramente siamo come tutti gli altri: alcuni sono sensibili e creativi, altri sono stupidi, cattivi, infedeli...»

«Afferrato il concetto...» disse Ulisse.

«Tornando a noi, i nove punti che abbiamo letto sono il

riassunto del nostro progetto di nazione, quella nazione – nuova e inclusiva – di cui io sono orgogliosissimo di essere il primo presidente» disse Dukas tornando a sedersi, subito imitato da Ulisse.

«C'è qualcosa che mi stupisce molto del processo di creazione di questa Grecia.»

«Mi dica.»

«Normalmente, quando si verifica un cambiamento così drastico si passa sempre attraverso una rivoluzione violenta. In Grecia, però, a parte i primi moti di protesta contro il governo e il vecchio establishment politico, non è stato così... secondo lei perché?»

«Per una ragione semplice: si era creato un vuoto, che noi abbiamo semplicemente e pacificamente riempito. E poi ci sono altre due ragioni...» Dukas ridacchiò. «Prima di tutto le rivoluzioni si fanno all'alba, e questo è un popolo che ama alzarsi tardi la mattina! E poi, motivo *serissimo*, non sapremmo che accidenti indossare per una rivoluzione!»

Ulisse scoppiò a ridere. Certo non si immaginava che il presidente facesse tutto questo humour gay!

«Le vorrei chiedere un'altra cosa» disse poi tornando lentamente serio. «Ieri sera, passeggiando per la città, poco fuori il quartiere di Gazi, mi sono imbattuto in una Etero Street. E mi sono reso conto che non tutta la popolazione greca è dalla vostra parte. È la verità? E cosa ne pensa lei?»

Ulisse ormai era rilassato e sicuro di sé. Si sentiva un po' come Oriana Fallaci di fronte al colonnello Gheddafi, anche se per fortuna Costantino Dukas era di tutt'altra pasta.

«La risposta è nella Costituzione che abbiamo appena letto. La nostra è una nazione inclusiva. Non c'è e mai ci sarà nessuna legge contro gli eterosessuali, e nessun impedimento, per loro, di vivere una vita normale, ci mancherebbe! Ma se a qualcuno dà fastidio vedere due uomini e due donne baciarsi o tenersi per la mano, o allevare con amore il proprio bambino, be', questo, sinceramente» e il tono del presidente si fece per la prima volta grave, «questo è un problema loro! *Esclusivamente* loro! Da parte nostra c'è comunque sempre un dialogo aperto.»

«Un'ultima domanda, presidente» disse Ulisse, pienamente soddisfatto di quella risposta. «Cosa significa per lei questa giornata, questa Festa nazionale? E come dovrebbe viverla ogni cittadino greco?»

Dukas fece un sospiro. «Non sta a me decidere. Ognuno festeggerà quello in cui crede: la felicità, la libertà, l'amore. Ciò che a me preme ricordare sono le origini di questa ricorrenza: era il 28 giugno del 1969, all'una di notte, quando la polizia irruppe nello Stonewall Inn, un bar gay nel Greenwich Village di New York.»

E il presidente gli raccontò di come, seppure i locali gay a quel tempo fossero già legali, la città fosse in fermento per le elezioni, e il candidato repubblicano John Lindsay avesse bisogno di un cavallo di battaglia per smuovere l'elettorato. Fu così che decise che quel cavallo di battaglia poteva essere proprio lo Stonewall Inn – il quale offriva diversi pretesti per un intervento delle forze dell'ordine: vendeva alcolici senza licenza e come intrattenimento per i suoi clienti proponeva dei go-go boys parecchio svestiti.

«Insomma, quella notte la polizia irruppe nel locale, e una transessuale, Sylvia Rivera, dopo essere stata provocata e pungolata con un manganello, lanciò una bottiglia contro un agente. Ecco come si scatenò tutto. È da quel gesto, di certo violento, che ebbe inizio il movimento di liberazione degli omosessuali.» Il presidente fece una pausa. «E non lo dobbiamo dimenticare. Mai.»

Ulisse si allungò sullo schienale della poltrona. «Grazie» si limitò a dire.

Osservò per qualche istante quell'uomo all'apparenza mite, bonario. Ora che aveva avuto l'onore di conversarci per qualche minuto, era riuscito a vedere oltre, a scorgere la forza che aveva dentro: lui che in Grecia, fin da giovane, si era sempre battuto per i diritti dei gay, che aveva organizzato manifestazioni, sit in, flashmob, che aveva messo la propria faccia in anni in cui gli omosessuali, così come in Italia, erano visti ancora con sospetto, aveva preso delle botte, era stato arrestato – sì, lui era la persona giusta per guidare quella nazione nel futuro che aveva già abbracciato.

L'intervista era conclusa, pensò Ulisse. Era la più bella intervista di tutta la sua carriera.

16

Capitolo arcobaleno

Uscendo dall'automobile che lo aveva riportato all'Hotel Almodóvar, il petto ancora gonfio di emozione dopo l'incontro col presidente Dukas, la prima cosa che Ulisse notò furono alcuni uomini in divisa da operatori ecologici impegnati a staccare dei manifesti dalla facciata di un palazzo.

A-ah! Allora anche in Grecia c'era qualche rigurgito di vandalismo. Non tutto filava alla perfezione così come sembrava.

Si precipitò in quella direzione. Era vero, aveva pochissimo tempo a disposizione: doveva buttare giù l'intervista, mandarla a «X-Style» e prepararsi per la parata... ma la sua curiosità da giornalista ebbe la meglio.

Uno dei volantini superstiti recitava:

28 giugno
ETEROPRIDE
Tutti in piazza per difendere la Grecia della famiglia tradizionale e contro l'imbarbarimento dei costumi gay.
È questo quello che vogliamo per i nostri figli?
Assembramento alle ore 14 in piazza ALEXANDROS PANAGULIS.

Il maiuscolo stava evidentemente a significare che gli organizzatori ripudiavano la nuova toponomastica. Dovevano essere le stesse persone che vivevano nella Etero Street, pensò Ulisse.

Khloe lo raggiunse. «Lo organizzano tutti gli anni. Si ritrovano in quattro gatti a difesa della famiglia tradizionale.» «Difenderla da chi? Ma è una manifestazione autorizzata?» chiese Ulisse, mentre Manuel scattava una foto e riceveva in cambio uno sguardo inviperito da parte degli operatori ecologici.

«Ahh, difenderla da chi non lo sappiamo, le varie tipologie di famiglie possono convivere tranquillamente per tutti tranne che per questi esaltati. E per rispondere all'altra domanda sì, c'è l'autorizzazione, ma c'è sempre un dibattito, in realtà, per arrivare a concederla. Il gruppo dei Rosa, i gay integralisti, non vuole mai concederla. Il suo leader definisce l'Eteropride come "la solita carnevalata dove la gente scende in piazza in giacca e cravatta per farsi riconoscere", e lo scorso anno alcuni suoi seguaci hanno buttato delle glitter bomb sui partecipanti, suscitando una polemica che è andata avanti per settimane.»

«Incredibile... e non c'è il rischio di scontri in città?»

«Le due manifestazioni si svolgono a grande distanza l'una dall'altra. L'Eteropride, quest'anno, sfilerà in periferia. Ovviamente gli organizzatori, i No Gay, sono infuriati, ma meglio qualche polemica che nuovi scontri e nuove glitter bomb: l'anno scorso le foto degli etero imbrattati di glitter è stata sfruttata dai nostri oppositori quasi come quelle delle vittime del napalm in Vietnam durante gli anni Settanta...»

Valeva la pena farci un giro? rifletté Ulisse.

«È un Family Day in miniatura» disse Khloe come se gli avesse letto nel pensiero, «l'anno scorso c'erano duecento partecipanti.»

Ulisse la guardò perplesso.

«Non ti parlo come rappresentante del governo, ma come *amica*. Puoi risparmiarti una gita in piazza Alexandros Panagulis e restare a goderti il divertimento della parata ufficiale.»

Ulisse la fissò ancora per qualche istante. Sembrava sincera.

«Ok, mi hai convinto. Magari, però, mando Manuel giusto a scattare qualche fotografia. Sai, il dovere di cronaca...» Khloe rise. «Ok, ok! Sei sempre un giornalista, in fondo!» «Dài, ora andiamo a prepararci, ho voglia di vedere quanto riesce a far festa questa città!»

L'assembramento andava al di là di ogni sua immaginazione. Da dove era uscita tutta quella gente? Sembrava che l'intera popolazione di Atene fosse scesa in strada.

Non appena Ulisse mise piedi fuori dall'Hotel Almodóvar, vide una mandria di persone che andavano tutte in un'unica direzione. E non poté non avvertire un'energia incredibile, che lo spinse a immergersi in quel fiume colorato.

A piazza Mina, il luogo di partenza della parata, che poi sarebbe giunta fino a piazza XXVIII Giugno, aveva già perso Manuel di vista.

Con Khloe aveva appuntamento davanti all'ingresso del Cinema Fassbinder, e sperava che la ragazza riuscisse a farsi strada nella folla, altrimenti non c'era che una speranza su un milione che riuscissero a incontrarsi.

Anche perché non aveva modo di contattarla.

Per fortuna Khloe era di parola, ed eccola infatti davanti alla scalinata del cinema, proprio accanto al cartellone che illustrava la rassegna in programmazione sui più grandi registi gay, dallo stesso Rainer Werner Fassbinder, che dava il nome alla sala, a Pier Paolo Pasolini, da Xavier Dolan a Paul Morrisey, da Luchino Visconti a François Ozon. Grande assente Franco Zeffirelli, a cui, com'era noto, il movimento gay era sempre piaciuto poco.

«Ma che hai in faccia?» esclamò Khloe non appena lo vide. «Cosa? Perché?» chiese Ulisse. «Ah, sì!» Un ragazzo, non appena era sbucato in piazza Mina gli aveva dipinto a tradimento due arcobaleni sul viso, uno per guancia. «Sto bene, vero?»

«Benissimo...» rise Khloe. Poi, guardandosi intorno, disse: «E Manuel dov'è?».

«L'ho perso! E i cellulari, con tutte queste persone, non prendono. Comunque sarà in giro a scattare, quindi direi che non c'è bisogno di preoccuparsi.»

Khloe si guardò a destra e a sinistra. «Visto che meraviglia?»

«Devo ammettere: sì. Sono contento di essere venuto qui e non all'Eteropride.»

Ed era vero. Nessuna parola avrebbe potuto descrivere tutta l'energia positiva che si respirava in quella piazza. Qualsiasi tentativo di trasferire su una pagina l'atmosfera di quella grande, immensa festa si sarebbe rivelato un fallimento.

Lui, Ulisse Amedei, il grande giornalista italiano, quello la cui penna d'oro aveva conquistato migliaia e migliaia di lettori, poteva solo ringraziare il destino che lo aveva portato fin lì.

In mezzo a tutta quella gente, e con la bellissima ragazza che ora gli stava di fronte, finalmente vestita in abiti comodi – probabilmente perché un tailleur, in quella baraonda, avrebbe fatto di certo una brutta fine –, Ulisse si sentiva... sì, proprio felice.

Senza pensarci su, e senza preoccuparsi delle sue eventuali proteste, prese Khloe per la mano e la tirò verso un carro di musica, dal quale provenivano le note di *Go West*.

«Spero che tu balli» disse.

La ragazza agitò le mani. «No, no, no!»

Ma Ulisse si era già cominciato a scatenare, e alla fine anche Khloe si arrese, e mosse i primi, timidissimi passi, che si fecero sempre più audaci e sensuali, mentre il carro – sul quale ballavano decine di ragazzi che continuavano a lanciare palloncini colorati nell'aria – partiva alla volta di piazza XXVIII Giugno.

Ulisse aveva già partecipato a un Pride, ma questo di Atene era sicuramente più spettacolare, e non solo per l'inimmaginabile partecipazione, ma per l'originalità dei carri che stavano sfilando insieme alle persone, facendole ballare con una colonna sonora che andava dalla sempreverde *YMCA* alle hit di Raffaella Carrà, passando per gli ABBA, i Culture Club, Blondie, Gloria Gaynor, le Bananarama, Cher, Madonna, le Spice Girls, ma anche Lady Gaga, Beyoncé, gli Scissor Sisters, Britney Spears e Katy Perry: insomma, tutto quello che facesse muovere i fianchi a dovere e cantare a squarciagola. Come gli spiegò Khloe – che nel tragitto si era perfino permessa di bere una birra ghiacciata comprata da un venditore ambulante –, i carri erano stati firmati da alcuni dei maggiori scenografi, architetti e stilisti del mondo. Ovviamente gay o lesbiche o trans.

Tutto, insomma, era proseguito nel migliore dei modi, fino a quando Ulisse notò uno strano movimento.

«Ehi, Khloe, guarda, stanno portando via qualcuno!» esclamò indicando un punto distante una decina di metri da lì.

La ragazza alzò lo sguardo, e scattò come un lampo in quella direzione. «Seguimi!»

«Che succede?» urlò Ulisse cercando di farsi largo nella folla incuriosita e di non perdere di vista Khloe.

Lei si voltò appena e gli urlò in rimando: «Sono soldati del Battaglione dell'Amore, hanno preso qualcuno!».

«Tutto bene?» domandò Khloe quando fu di fronte ai due soldati mostrando un suo documento che la certificava come rappresentante del governo.

Uno dei due soldati, un uomo sui quarantacinque anni alto quasi due metri e di una bellezza statuaria, in coppia con un ventenne dall'aria efebica, disse: «Salga nella camionetta con noi che le spieghiamo».

Due minuti dopo, Khloe e Ulisse erano a bordo della camionetta del Battaglione dell'Amore, uno di quei camioncini usati dai figli dei fiori, in realtà blindato e con un motore da competizione.

L'uomo arrestato, un piccoletto che continuava a mugugnare qualcosa di incomprensibile, era nel retro, ammanettato.

«È uno dei No Gay?» chiese Ulisse.

«Sì, si è infiltrato nella parata e ha cominciato a insultare tutti quelli che gli passavano di fianco» spiegò il soldato statuario, «finché a un certo punto qualcuno ha reagito, ed è scoppiata una vera e propria rissa.»

«Tutto è bene quel che finisce bene...» sospirò Khloe. «Per *il resto* tutto ok?»

«Sissignora. Ho saputo che anche l'ultimo componente è stato arrestato.»

Già che era lì Ulisse provò a domandare delucidazioni: «Di cosa state parlando?».

«Be', visto che fra qualche minuto la notizia sarà diramata dalla nostra agenzia di stampa, e ne parlerà Zena di fronte a centinaia di migliaia di persone, te lo posso anche anticipare» rispose Khloe. «È stata fermata una cellula terroristica antigay che meditava un attentato.»

«*Attentato?*»

«Sì, al Palafiesta, a quanto pare. A pochi chilometri da Atene, in una casupola persa nella campagna sono stati ritrovati esplosivi e armi...»

Ulisse era allibito.

«Sì, l'odio genera odio. È per questo che alcuni pazzi si riuniscono e si spingono a tanto: per loro noi siamo il simbolo supremo del male.»

«Ma noi abbiamo la forza dell'amore dalla nostra parte!» intervenne sorridente il soldato efebico accarezzando il petto del suo amato, e fu come se una scarica di erotismo si propagasse in tutto l'abitacolo.

«Sì, e la nostra intelligence è tra le migliori del mondo» soggiunse Khloe, lievemente imbarazzata. Poi, rivolta a Ulisse: «Che ne dici di proseguire per piazza XXVIII Giugno? A breve il presidente della Repubblica terrà il suo discorso».

In un attimo erano entrambi fuori dal furgoncino. Istintivamente si cercarono con le dita, e così, mano nella mano, percorsero l'ultimo tratto della parata.

Ritrovare la voce di Costantino Dukas, amplificata da enormi casse disseminate qua e là per raggiungere la folla che gremiva la piazza e tutte le vie intorno, fu per Ulisse un immenso piacere.

Il suo discorso – sottotitolato in tempo reale in inglese su un megaschermo che copriva la vista del Parlamento – fu pacato, ma diretto e deciso. Parlò della situazione dei diritti nel mondo, del significato profondo di quella giornata, e ripercorse i passi della rivoluzione arcobaleno che aveva portato la Grecia a essere quella che era oggi.

L'immensa platea di piazza XXVIII Giugno lo ringraziò con un applauso lungo e sentito, che veniva dal cuore.

A seguire, il discorso del primo ministro Gregorius Zena, che, come poté subito constatare Ulisse, era di tutt'altra pasta rispetto al presidente Dukas.

Quanto questi era pacato, l'altro era ostentatamente battagliero. Quanto Dukas aveva un aspetto dimesso, Zena era un uomo piacente, vestito alla moda, curato fin nei minimi dettagli.

A lui spettò parlare del futuro della nazione, di come la Pink Economy non si fosse fermata, delle ulteriori nuove riforme che il governo si apprestava a varare per far sì che la Grecia fosse sempre, e ancora di più, un Paese a immagine e somiglianza dei suoi cittadini, gay o etero che fossero.

«Questo fa sempre propaganda, vero?» bisbigliò Ulisse avvicinando le labbra all'orecchio di Khloe.

Lei fece una risatina. «Be', un po' sì. È un grande comunicatore, gli va riconosciuto.»

E infatti quando si accorse che l'attenzione dei presenti stava scemando, Zena mise sul piatto una notizia che, se Ulisse non ne fosse già stato al corrente, avrebbe scosso anche lui.

«Questa mattina» annunciò «è stata sgominata una cellula terroristica, che rischiava di trasformare questo giorno in tragedia.»

La piazza piombò di colpo nel silenzio.

«Ma tranquilli!» disse. «Il pericolo è sventato. Anzi, ancora di più oggi dobbiamo mostrarci coraggiosi, far vedere al mondo che noi non ci arrendiamo, che chi alimenta l'odio non ci spaventa.»

L'applauso fu assordante.

«E sapete come possiamo dimostrarlo?» Pausa a effetto. «Con un bacio!»

I presenti esultarono di nuovo.

«Al mio tre, tutti ci baceremo. Non importa che siate fidanzati, sposati... guardatevi intorno e baciate chi avete al vostro fianco.»

In quel momento sul palco si materializzò un ragazzo alto, fisicato, con i capelli lunghi fino alle spalle. Come gli sussurrò Khloe all'orecchio, quello era il compagno del primo ministro, uno degli attori greci più in auge del momento, e in odore di stare per approdare a Hollywood.

«Forse non voleva rischiare di baciare chissà chi» scherzò Ulisse. «E noi...» disse, e il sorriso gli si spense all'istante sul volto. «Noi, chi baciamo?»

Zena lanciò il suo: «Tre!».

Ulisse e Khloe si fissavano, nessuno dei due osava dire nulla.

«Due!»

I loro volti si fecero più vicini, gli occhi di lei umidi, le labbra di Ulisse che si tiravano in un mezzo sorriso di imbarazzo.

«Uno!»

Alla fine fu Ulisse a dire qualcosa: «Ormai non abbiamo più tempo per guardarci attorno».

«Baciamoci!» urlò Zena, ma la sua voce sembrava quasi lontana.

Allora le loro bocche si unirono, avide di quel bacio, come se lo desiderassero da sempre.

E non si staccarono, come fecero quelle di tutte le altre coppie intorno a loro.

Quando Gregorius Zena riprese a parlare, e la folla si lanciò in un nuovo applauso che per poco non fece crollare gli edifici che si affacciavano sulla piazza, Ulisse e Khloe rimasero uniti, a cercarsi con le labbra, con le lingue, i volti illuminati da un sorriso.

Appena riaprirono gli occhi, all'unisono, come se fossero stati richiamati alla realtà nello stesso istante, si accorsero che attorno a loro si era formato un cerchio di persone, che applaudivano, qualcuna addirittura che li fotografava. Si presero per mano e scapparono ridendo a crepapelle tra la gente.

A un certo punto, in mezzo ai tantissimi ragazzi che affollavano la piazza, Ulisse ne vide due che conosceva bene: bellissimi, così l'uno stretto all'altro, mentre si guardavano e si baciavano.

Manuel e Costa.

Ulisse esultò in cuor suo. Da qualche parte, lassù, Cupido lo stava guardando, e doveva essere orgoglioso di lui. Manuel non si sarebbe mai fatto avanti senza i suoi incoraggiamenti.

Ma forse Cupido aveva fatto di più, quel giorno, pensò il giornalista guardando la ragazza che ora stava trascinando a fatica fuori dalla folla.

Ebbero solo il tempo di tornare ciascuno alle proprie residenze per farsi una doccia, indossare l'abito buono e precipitarsi alla grande festa esclusiva che quella sera si sarebbe tenuta all'ultimo piano della David Geffen Business Tower, il nuovissimo grattacielo costruito grazie ai finanziamenti del noto produttore gay discografico e cinematografico.

Ulisse e Khloe si ritrovarono alla coda per l'ingresso, dove un tizio coi capelli ingellati controllava su un foglio i nomi degli invitati e cacciava via tutti quelli che cercavano di imbucarsi. E non erano pochi.

«Gregorius Zena ama la vita mondana» commentò Khloe.

«Non è il solo» rispose Ulisse senza riuscire a staccarle gli occhi di dosso.

In quel momento, l'avrebbe volentieri spogliata, perfino lì davanti a tutti.

«Manuel? Dov'è?»

«Mh... cosa?»

«Manuel!» ripeté Khloe. «Dov'è?»

«È in ritardo...» ammiccò Ulisse, pensando a lui e Costa.

«Comunque è in lista, vero?»

«Sì, certo. Può entrare quando vuole.»

«Bene, meglio così. Aspettarlo sarebbe stata una scocciatura: ho voglia di bere qualcosa.»

Il vino scelto dal presidente Zena, anima di quella serata, sempre in giro tra un ospite e l'altro a lanciare battute di spirito o a dar grandi pacche sulle spalle, era tutto italiano.

«È il vostro Stato che non apprezziamo, mica il vostro vino!» si sentì in dovere di giustificare Khloe.

Come Ulisse scoprì, si trattava dell'Uvagina e del Vinocchio, due vini toscani «che vogliono dare voce alle battaglie dei gay e delle lesbiche per il completo diritto di cittadinanza in Italia» – così recitava un cartellone posto accanto alle quattro isole bar che costellavano l'immenso terrazzo, da cui si godeva di un panorama mozzafiato. Veniva anche spiegato che erano stati ideati da Edoardo e Bruno, due affermati stilisti toscani, in coppia da quarant'anni, impegnatissimi sul fronte dei diritti civili: «Quale luogo migliore della tavola per maturare, così come maturano le uve, una coscienza della discriminazione? Ed è per questo che una parte degli utili della vendita del vino in tutto il mondo vanno ad associazioni che si occupano di lotta al bullismo omofobico».

Ma Ulisse fu ancora più stupito quando gli venne versato il primo bicchiere di vino. Aveva scelto il Vinocchio, ed era fucsia. Sì, *fucsia*.

«Siamo sicuri che sia buono?!» esclamò al cameriere.

«Lo provi e mi dica» rispose il ragazzo con un sorrisetto di sfida, mentre versava a Khloe, invece, un bicchiere di Uvagina. Azzurro. Sì, *azzurro*.

I due brindarono e portarono i rispettivi calici alle labbra. Gli occhi di entrambi si illuminarono. Erano deliziosi. Semplicemente deliziosi.

«Certo... i nomi sono un po' bizzarri» fece Ulisse, «ma il vino è molto buono!»

«Bizzarri? Perché?» chiese Khloe con la faccia stranita.

«Prova a sostituire la "v" di Vinocchio con la "f", e togli la "u" iniziale di Uvagina... e in inglese suona ancora meglio!» Khloe ragionò un secondo, poi scoppiò a ridere.

«Ehi, che avete così tanto da ridere?!» Manuel si era materializzato di fianco a loro, raggiante come Ulisse non lo aveva mai visto.

«Mi sa che qualcuno qua si è divertito...» commentò il giornalista sollevando le sopracciglia.

Qualche minuto dopo stavano già facendo il secondo giro, e poi il terzo, poi fu la volta del brindisi voluto dal primo ministro Zena, il quale alzando il flûte urlò: «Vorrei brindare a questa Repubblica arcobaleno! Dove ogni colore rappresenta la diversità, ovvero la ricchezza di questo Paese, e della diversità non bisogna avere paura, come non bisogna avere paura dei colori che compongono la nostra bandiera!».

Tutti i presenti brindarono con lui, poi Zena si avvicinò a Khloe e Ulisse.

«Finalmente ci conosciamo» esclamò.

«Piacere, presidente» disse Ulisse.

«So che l'intervista col presidente Dukas è andata bene. Ora sono a sua disposizione!»

E sulla terrazza cominciarono a parlare. Dietro quell'aspetto un po' arrogante si nascondeva un uomo dall'intelligenza eccezionale e dalla passione rara e contagiosa.

Parlarono in particolare di economia. Zena raccontò che negli ultimi tempi la Grecia si stava risollevando non solo grazie al turismo, perennemente in crescita, ma anche all'industria tecnologica.

«Ha mai sentito nominare Ronald Inglehart?»

«Mh... no» fece Ulisse.

«È un sociologo dell'Università del Michigan, che da anni studia la relazione tra fattori socio-culturali e sviluppo economico, ed è stato lui a mostrare come nelle società in cui predominano atteggiamenti di chiusura verso le minoranze il progresso politico ed economico è più lento. Non si stupisca quindi, mio caro amico, quando la Grecia sorpasserà l'Italia *anche* nel campo dell'industria tecnologica!»

Ulisse stirò un sorriso di circostanza. Le affermazioni di Zena non erano poi così fantascientifiche, visti i tempi che correvano nel Bel Paese.

Il primo ministro gli citò poi uno studio della NGLCC, la National Gay & Lesbian Chamber of Commerce.

«Sì, ho presente» disse Ulisse, ricordando che gliene aveva fatto cenno Riccobono nel suo studio.

«Qualche anno fa le mete preferite dai turisti statunitensi gay in Europa erano la Gran Bretagna, la Francia, la Germania, la Spagna e l'Italia... oggi invece...»

«Mi lasci indovinare» lo interruppe Ulisse. «La Grecia ha preso il posto dell'Italia, giusto?»

«Esatto!» esclamò Zena dandogli una pacca sulla spalla. «Consideri che negli Stati Uniti ci sono tra i sedici e i venti milioni di gay, con un potere di spesa complessivo di 860 miliardi di dollari. Se la popolazione gay americana si riunisse in una nazione sarebbe la diciannovesima potenza economica al mondo, superando la Svezia, la Svizzera, il Belgio e l'Arabia Saudita.»

Ulisse sgranò gli occhi.

«La Grecia, diventando patria dei diritti, è tornata anche a essere una potenza economica. Le farò mandare dalla nostra Suite di Commercio tutti i dati, potrà vedere lei stesso.»

Ulisse non riuscì a fare a meno di sorridere. Che un primo ministro potesse parlare tanto seriamente di una *Suite* di Commercio invece che di una più semplice e banale Camera di Commercio era qualcosa che, fino a tre giorni fa, lo avrebbe lasciato basito. Ma ormai si era abituato a tutto.

«Perché non solo abbiamo attirato turismo» continuò Zena, «ma anche persone con capitali e soprattutto con voglia di fare e di creare aziende all'avanguardia. Sempre secondo lo stesso studio, un'azienda gay-friendly è più produttiva: l'impiegato è più sereno, perché non è costretto a fingersi qualcuno che non è, migliorano le relazioni fra i colleghi e, come risultato finale...»

«Aumenta la produttività.»

«Proprio così, non bisogna essere un genio per capirlo. Eppure l'Italia resta ancora indietro.»

Ulisse sospirò. Nessuno, prima di quel momento, gli aveva sbattuto in faccia in modo così sintetico ed efficace il fatto che vivesse in una nazione governata da una classe politica ottusa, oltre che retrograda e corrotta.

«Mi raccomando, glielo faccia capire ai suoi politici!» gli disse Zena, assestandogli una seconda pacca sulle spalle.

In quel momento sentirono esplodere i primi fuochi d'artificio. Ed entrambi alzarono lo sguardo, mentre tutti gli ospiti uscirono sul terrazzo panoramico.

La festa, mentre il cielo si tingeva di mille colori e gli scoppi facevano palpitare il cuore, era giunta al suo culmine.

Il resto della serata fu un alternarsi di chiacchiere – col presidente Zena, che gigioneggiava con tutti gli invitati – e di momenti di intimità, mentre la notte si faceva sempre più magica, le stelle sempre più luminose. E il Partenone illuminato d'arcobaleno sembrava vegliare su tutto e su tutti, e dare la sua approvazione, l'approvazione della storia e dell'antica civiltà che aveva abitato quelle terre.

C'era un unico modo per terminare una serata così.

Con l'amore.

Ulisse e Khloe lo trovarono nel trilocale che lei aveva acquistato nel centro di Atene, arredato con gusto, in cui ogni cosa sembrava al suo posto. Ma Ulisse non vide molto altro, perché subito furono sul letto, avvinghiati, a strapparsi i vestiti di dosso.

Finalmente il conquistatore aveva ottenuto ciò che voleva. Ma quella che ora aveva tra le mani – glielo diceva il suo cuore sussultando come non mai – non era una semplice preda.

Era Khloe. Era la Grecia. E lui, di Khloe e della Grecia, si era innamorato perdutamente.

17

Capitolo nero su bianco

Ulisse e Khloe fecero l'amore tre volte di fila, fino a notte fonda. Quando, sudato e ancora ansimante, si buttò contro il cuscino, Ulisse provò a fare mente locale: da quanto tempo non riusciva a essere così resistente? Da tanto, si rispose da solo... così come era da tanto che non trovava una partner generosa e infuocata come si era dimostrata Khloe. Era stata davvero una sorpresa. Tutto si aspettava da una ragazza come lei, fuorché fosse così a letto.

Mentre lei scivolava nel sonno profondo, Ulisse prese il pacchetto di sigarette, l'accendino e andò sul balcone a fumare.

Anche da casa di Khloe, che abitava a un piano alto, si vedeva il Partenone illuminato con tutti i colori dell'arcobaleno e sormontato da un cielo pieno di stelle.

Era stata una giornata straordinaria.

L'intervista al presidente Dukas, che era riuscito a scrivere e a spedire in redazione prima di andare alla parata, aveva avuto un successo incredibile. Riccobono gli aveva già mandato quattro e-mail per aggiornarlo sui record di accessi al sito della rivista.

I festeggiamenti per le strade di Atene, poi, erano stati grandiosi, molto più di quanto lui avrebbe mai immaginato. E anche la festa sulla terrazza della David Geffen Business Tower era stata memorabile.

Per non parlare, poi, di come quella giornata si era conclusa: nel modo più dolce possibile.

Ora non gli restava che scrivere il pezzo forte del suo reportage. E non sarebbe andato a dormire senza prima averlo finito.

Si sedette al tavolino su cui, immaginava, la mattina successiva lui e Khloe avrebbero fatto colazione insieme, e cominciò a digitare sul suo tablet.

Ma non fu facile. Ogni volta scriveva due o tre frasi, poi cancellava tutto e si ritrovava di nuovo davanti alla pagina bianca.

Aveva così tanto da dire, e al contempo non voleva ripetersi. Aveva già pubblicato un po' di articoli a proposito del suo viaggio in Grecia. Questo doveva in qualche modo riassumere tutto ma anche dire qualcosa di più. Sì, ma cosa?

Ci pensò e ci ripensò. E alla fine decise di raccontare come si sentiva in quel preciso istante. Il resto sarebbe venuto da sé.

Quando una festa si conclude, ed è stata una festa bellissima, c'è sempre un momento di malinconia. Sai che ci saranno altre feste, che le persone che hai incontrato e con cui hai bevuto, ballato, e ti sei divertito non scompariranno, le potrai risentire e rivedere se lo vorrai, ma sai anche che quella serata è stata irripetibile e che si sta già trasformando in uno splendido ricordo.

Io oggi, mentre le luci delle celebrazioni per il 28 Giugno, qui in Grecia Festa nazionale, si sono appena spente mi sento un po' così.

E se c'era qualcosa che mai e poi mai avrei immaginato quando sono partito da Milano col compito di raccontare cosa ne era della Grecia di oggi, era di provare emozioni tanto forti.

Perché quella che sto scrivendo per questa nazione, così straordinaria – nel pieno senso della parola –, non è altro che una spassionata lettera d'amore.

Sì, lo ammetto, mi sono innamorato della Grecia.

È vero, ho sorriso quando, arrivando al principale aeroporto di Atene il primo giorno, mi sono reso conto che il terminal altro non era che una gigantesca Maria Callas costruita con pannelli di vetro, ma anche quando ho visto, stampati sulle banconote greche, i ritratti di alcune fra le più famose drag queen della storia. Poi si potrà parlare dei corsi universitari su Lady Gaga e Madonna all'Università Pier Paolo Pasolini (chissà cosa ne direbbe lui...), ma la verità è che in questi giorni ho visitato Atene, ho conosciuto persone splendide, ho scoperto cose che non sapevo, ho assaggiato cibi deliziosi e, alla fine, ho partecipato a una festa grandiosa e piena di colori.

E sono proprio i colori che mi porterò sempre dentro. Quei colori che a molte nazioni nel mondo fanno paura e che, invece, qui in Grecia hanno trovato la loro patria, e il loro riscatto.

Sono otto, come otto sono i colori della bandiera Rainbow originaria, quella dipinta da Gilbert Baker che sventolò per la prima volta a San Francisco nella marcia del Gay Pride del 25 giugno 1978, e che ad Atene puoi vedere agitarsi nel vento proprio accanto al Partenone: i due simboli della città, il passato e il presente insieme per guardare a un futuro luminoso.

Il primo colore è il rosa, quello della sessualità, che qui è possibile vivere liberamente, senza pregiudizi, senza quel senso di colpa che certe società cercano invece di instillare ancora nelle nuove generazioni. È un colore che non ha genere, un colore che tutti possono amare senza per questo doversi sentire sbagliati.

E poi c'è il rosso, il colore della vita, perché la Grecia è una nazione in cui ogni figlio è voluto e ricercato dal profondo dell'anima, è una nazione che ha come massima aspirazione la pace, che rifiuta la guerra e la violenza, in cui persino il battaglione più qualificato dell'esercito ha come valore guida l'amore, e soltanto l'amore.

Di un bell'arancione, invece, che è il colore della salute, risplendono strutture ospedaliere all'avanguardia, in cui lavorano i migliori specialisti d'Europa; mentre il giallo sta per la luce del sole, che qui in Grecia sembra non mancare mai, forse perché le persone non hanno bisogno di nascondersi per vivere e amare come desiderano.

Non sono uscito in questi giorni da Atene, ma se ciò che ricordo della Grecia è ancora realtà, qui non manca il verde della na-

tura: dalle spiagge bianche alle distese di uliveti, fino ovviamente al mare cristallino che nel corso dei secoli non ha mai smesso di lambire questa terra frammentata in tante, meravigliose isole.

Nella bandiera Rainbow, poi, il turchese corrisponde alla magia, e se non è magia quella che ha riportato una nazione ridotta in macerie a essere una delle potenze mondiali, mi chiedo che cosa lo sia... Il blu sta invece per la serenità, quella del mare e quella che mi porterò sempre dentro ripensando ai giorni che ho passato qui.

Infine, il viola, che è il colore dello spirito, della forza dell'anima. Ogni nazione ha un'anima, anche se a volte se ne dimentica, come avviene in Italia, ed è quell'anima il carburante che le permette di andare avanti e di rialzarsi quando serve. Qui ho sentito uno spirito nuovo, forte, che all'inizio mi ha spiazzato – possibile, mi son detto, che questo Paese così dinamico sia proprio la vecchia Grecia? – ma che poi ha saputo conquistarmi.

Ulisse rilesse quanto aveva scritto. Gli piaceva. Forse un po' melenso, certo, ma era davvero ciò che sentiva ripensando a quello che aveva visto in quei giorni.

Si era *davvero* innamorato della Grecia, e sì, gli piangeva il cuore all'idea di doversene andare.

Si girò verso l'interno della stanza e vide la sagoma di Khloe sotto le lenzuola.

Così come gli costava molto dover abbandonare quella splendida creatura.

Poteva concludere l'articolo così, quasi fosse una grande e variopinta cartolina della Grecia di oggi. Ma c'era qualcos'altro, invece, che ci teneva a dire. Una cosa di cui gli aveva parlato il primo ministro Zena quella sera e che all'inizio lo aveva fatto sorridere, e quasi gli era parsa una buona idea, ma che ora – ragionandoci a mente lucida – gli sembrava tutto fuorché degna di una nazione democratica e inclusiva. Si accese un'altra sigaretta e riprese a scrivere.

Ma è proprio qui, parlando dello spirito della Grecia, che voglio anche muovere qualche critica. Questa nazione, probabilmente, non sarebbe mai nata se nel resto del mondo non fossero esistiti l'ignoranza, il pregiudizio e la discriminazione. Milioni di persone vi si sono stabilite, fuggendo da Paesi in cui l'omosessualità è considerata addirittura un reato. È quindi comprensibile che fra gli scopi principali della Grecia ci sia quello di difendersi da un'ignoranza che causa ancora oggi tanta sofferenza. Ma è giustificabile che, in una nazione democratica, per esercitare il diritto di voto si sia costretti a superare un esame per dimostrare di conoscere i candidati alle elezioni e i loro programmi? Una sorta, insomma, di patentino dell'elettore. Devo essere sincero, credo di no. Ed è giusto che per ottenere un visto un cittadino straniero debba dimostrare di essere gay riendly? E quali sono i parametri oggettivi per definire se qualcuno è gay-friendly? Anche in questo caso, la mia risposta è no. Tutto ciò crea esclusione, e l'esclusione non ha portato mai, secondo me, a nulla di buono. La storia ce lo insegna.

"Troppo duro?" pensò Ulisse, sollevando le dita dalla tastierina virtuale.

Ma no, in fondo, anche se era ospite del governo, non doveva mica rinunciare a dire ciò che pensava.

Il rischio è che la Grecia si chiuda in se stessa, mentre quello che mi aspetterei è che cominciasse a esportare un po' di più. E non parlo di yogurt, feta, vino e olio. Parlo d'amore.

Perché è l'amore la più grande ricchezza della Grecia di questi anni. Io questo amore l'ho respirato oggi, per le strade di Atene, e ne sono rimasto inebriato.

La mia speranza, ora, è che questo amore – che è tanto, tantissimo –, insieme a tutti i colori dell'arcobaleno, possa attraversare lo Jonio e arrivare fino in Italia.

Perché mai aver paura dei colori di un arcobaleno, dico ai miei connazionali, quando questi colori portano nuova felicità?

Così come mi sono innamorato io di questa nazione, e dei suoi abitanti, pur con tutte le sue stramberie e a volte contraddizioni, sono sicuro che potrebbe succedere anche a voi.

Non abbiate paura che approvare nuovi diritti significhi la fine del mondo. Perché la fine del mondo è già avvenuta signori, e queste che stiamo vivendo, sappiatelo, sono soltanto delle repliche.

Quando digitò l'ultima parola e salvò il file, Ulisse sorrise. Era contento di quanto aveva scritto. Era esattamente ciò che voleva dire.

Rilesse tutto, corresse qualcosa qua e là e spedì l'articolo in redazione.

Quindi si sdraiò accanto a Khloe e si mise ad aspettare che il sonno arrivasse, mettendo fine a una delle giornate più belle della sua vita.

18
Capitolo verderame

Quando, finito l'articolo, Ulisse era finalmente riuscito a coricarsi accanto a Khloe, il suo petto nudo che si alzava e si abbassava al ritmo lento del suo respiro, aveva subito preso sonno.

Il pensiero che quello era il capolinea del suo viaggio in Grecia, e che tutto ciò che aveva vissuto potesse essere stata soltanto una parentesi di sogno nella sua vita, lo sfiorò, instillandogli una sottile spina di malinconia – proprio come aveva scritto nel suo articolo –, ma non riuscì a prevalere sulla felicità che lo pervadeva in quell'istante.

Aveva scritto un pezzo di cui andava estremamente fiero, e aveva appena fatto l'amore – e non una volta soltanto – con la donna di cui si era innamorato come un ragazzino.

Però, come spesso accade la mattina, prima ancora che riaprisse gli occhi, la realtà lo investì con tutto il suo peso. Quello, purtroppo, non era il suo posto: avrebbe potuto trattenersi ancora un po', certo, dire a Riccobono che c'erano molte altre cose da visitare ad Atene e dintorni, ma alla fine, comunque, avrebbe dovuto fare ritorno a casa.

Al suo lavoro. E da sua moglie.

Aveva sempre fatto così, dopo ogni tradimento. E allora perché quella volta si sentiva tanto a disagio?

Aprendo gli occhi allungò un braccio verso il lato di Khloe, ma si accorse che sul materasso lei non c'era.

Scattò su a sedere e si guardò intorno. La sveglia lo informò che erano già le undici. Che dormita, pensò.

Poi vide Khloe. Era seduta alla scrivania, e stava leggendo assorta qualcosa sullo schermo del computer.

Era ancora nuda. Semplicemente da mozzare il fiato. Si alzò dal letto e andò verso di lei, talmente concentrata sul monitor che non si accorse del suo arrivo.

Le pose le mani sulle spalle per poi scendere fino al seno. Oh, sì, quanto avrebbe desiderato svegliarsi ogni mattina così...

Khloe fece un sobbalzo e si voltò a fissarlo, il suo sguardo allarmato. Ulisse si fermò, sollevando un sopracciglio.

«Ehi, che succede?» chiese.

Poi si accorse che Khloe aveva una finestra aperta sul sito di «X-Style», e stava leggendo proprio il suo ultimo articolo.

Sorrise. «Ah, bene, è già online! Ti piace?»

«Ulisse» disse lei con voce grave, togliendogli le mani dal seno. «Non importa tanto se piace a me. Ti devo dare una brutta notizia: non è piaciuto al primo ministro. Mi è appena arrivato un messaggio. Dice che per quanto la Grecia venga esaltata, si parla di molti suoi aspetti con un atteggiamento di sufficienza, come se si trattasse di carnevalate. E poi quel paragrafo sul patentino per votare... lo ha definito "fuori luogo".»

Ecco, ora Ulisse si era svegliato del tutto, e non era per nulla un bel risveglio.

«Il patentino elettorale non l'ho inventato io!» la interruppe Ulisse scaldandosi. «E per il resto... no, non mi sembra, ho cercato di avere il maggior tatto possibile. Niente è descritto come una *carnevalata*.»

Lo sguardo di Khloe si fece ancora più severo. «Se devo essere sincera, a me non sembra. Ci sono alcune espressioni che suggeriscono che ci vedi come una sorta di acquario abitato da gente fuori di testa.» E, mentre Ulisse non riusciva a trovare le parole per rispondere, lei si girò verso il monitor: «Guarda: "I discutibili corsi su Madonna e Lady Gaga all'Università Pier Paolo Pasolini. Chissà cosa ne direbbe lui...". Ti sembra di aver avuto *tatto*?»

Ulisse cercò di fare mente locale. Non gli sembrava di aver usato quel tono, e neppure quelle esatte parole. Ma certo, sì, la frase sui corsi universitari era più qualcosa del tipo: "Poi si potrà parlare dei corsi universitari su Lady Gaga e Madonna all'Università Pier Paolo Pasolini", non aveva di sicuro usato il termine "discutibili", e quel "Chissà cosa ne direbbe lui" non era inteso in senso polemico, ma divertito.

«Ti assicuro, Khloe, davvero non capisco cosa possa essere successo! Quella non è la versione che io...»

Ma poi capì. Elisa. Quella maledetta editor: ma quando l'avrebbe piantata di mettere mano ai suoi articoli? Non si rendeva conto che, sostituendo un termine con un altro, aveva stravolto il senso di un intero discorso?

E dire che con tutti i precedenti articoli di quel reportage si era dimostrata invece un'ottima professionista: gli aveva corretto alcune sviste qua e là e aveva perfino apportato degli interventi migliorativi. Tanto che i pezzi erano tutti stati molto apprezzati, sia da Riccobono, che dal pubblico, ed era convinto che sarebbero stati un ottimo punto di partenza per il grande articolo da pubblicare sul numero cartaceo della rivista.

A Ulisse però piaceva sempre pensare al lato positivo di ogni cosa, si disse che se anche non piacevano al presidente Zena, non era un problema suo. In Italia forse i suoi lettori non avrebbero badato a quelle sfumature; anzi, doveva chiamare Riccobono per chiedergli di apportare delle modifiche, e soprattutto si sarebbe potuto rifare con l'articolo per la versione cartacea: per quello avrebbe preteso che Elisa non lo leggesse neppure.

«Non hai idea di quello che è successo... è tutta colpa...» provò a dire, ma Khloe gli lanciò addosso la secchiata gelata definitiva.

«Zena è deluso: dice che per una volta che si è fidato di un giornalista italiano, il suo messaggio è stato manipolato. E che il tuo è uno di quei tanti articoli che guarda solo agli aspetti più frivoli della Grecia, non ai mutamenti profondi che l'hanno attraversata in questi anni. E non è l'unico a pensarlo... i commenti al tuo articolo, da parte dei lettori italiani, sono tutti inviperiti.»

Ulisse rimase immobile per qualche istante. Mille pensieri passarono nella sua mente. Immaginò il suo nome preso di mira su ogni social network possibile e immaginabile da migliaia e migliaia di persone. E poi vide anche sfumare ogni suo sogno di celebrità televisiva. Sarebbe stato sempre e solo ricordato come Ulisse Amedei, quello che prendeva in giro la nuova Grecia gay.

Il che, specialmente adesso, dopo una giornata intensa e meravigliosa come quella appena trascorsa, era tutto fuorché la realtà.

Niente poteva andare più storto di così.

«Mi hanno anche comunicato che devi lasciare immediatamente l'Hotel Almodóvar. Da oggi non sei più ospite del governo... se vuoi rimanere dovrai trovarti un'altra sistemazione, temo» aggiunse Khloe.

Ecco, qualcosa poteva andare più storto di così.

Ulisse chiuse gli occhi. Com'era possibile un momento essere felici e poi, di colpo, piombare in un baratro che va oltre ogni immaginazione?

Ma lui non era un tipo che cedesse alla disperazione. E neppure che si arrendesse all'evidenza: il suo sogno greco si era infranto e non c'era molto che potesse fare per tentare di salvare la situazione.

Ulisse Amedei, di fronte a quella salva di pessime notizie, allora, fece l'unica cosa che fu in grado di fare: arrabbiarsi.

«E tu sei d'accordo con loro? Non potevi difendermi?» sibilò a Khloe.

Lei strinse gli occhi e lo fissò. Poi si alzò dalla sedia e si coprì con una vestaglia che aveva appoggiato sullo schienale. «Come puoi dire una cosa del genere?» disse legandosi i capelli. «Mi dispiace se questo porterà dei contraccolpi nella tua carriera, ma la firma sull'articolo è tua, e dovrai prenderti le tue responsabilità.»

Anche adesso, anche dopo aver passato la notte insieme,

quando Khloe riassumeva quell'atteggiamento odioso e supponente era davvero insopportabile.

«Bene, se la pensi così, allora non abbiamo nient'altro da dirci!»

E in un incontrollabile impeto d'ira prese le sue cose e schizzò fuori dalla porta, sbattendola dietro di sé.

Sapeva che non era colpa di Khloe, e nemmeno di Zena, pensò rivestendosi sul pianerottolo. Non era con loro che doveva arrabbiarsi. Aveva cercato di aggrapparsi a qualcosa per non arrendersi all'evidenza che l'occasione più importante che aveva avuto negli ultimi anni gli si stava per ritorcere contro.

E la colpa era solo di una persona: Elisa.

Estrasse il telefono dalla tasca, e cercò Riccobono fra i suoi contatti. Un secondo dopo era già con il cellulare alle orecchie.

«Gualtiero.»

«Ulisse. È successo un disastro, stavo per chiamarti» lo anticipò il direttore di «X-Style», con un piglio decisamente aggressivo.

«So già tutto» disse Ulisse. Ma... addirittura un *disastro*? E di già?

«Abbiamo ricevuto un sacco di proteste da parte di alcuni nostri lettori. Dicono che il tuo ultimo articolo si prende gioco della Grecia e dei gay in generale. Dovevi andarci più delicato!»

L'unica cosa che Ulisse riuscì a pensare fu: "Cazzo!". Allora non si trattava di semplici commenti negativi: i suoi incubi si stavano trasformando in realtà.

E si infuriò di nuovo.

«Gualtiero, fermati, e soprattutto non usare quel tono con me!»

Ulisse era ormai fuori di sé. Che anche Riccobono gli andasse contro senza provare a difenderlo – lui che lo aveva sempre trattato come il principino di «X-Style» – era qualcosa che il suo ego non poteva tollerare.

«Ulisse, non permetterti, sai...»

«Se devi prendertela con qualcuno» andò avanti Ulisse senza badare alle sue parole, «allora prenditela con Elisa. È stata lei a intervenire sull'articolo. La versione che ho inviato questa notte era ben diversa!»

«Ma Elisa...»

«Non difenderla come al solito, questa volta l'ha fatta grossa!»

«Ma Elisa...» provò ancora a dire Riccobono, ma Ulisse era un treno in corsa, inarrestabile.

«Non insistere a difenderla, sai!»

«Ma fammi parlare!! Stavo tentando di dirti che Elisa è a casa con la febbre, non può essere stata lei.»

«E allora chi?»

«L'ha sostituita Rossella.»

Ulisse sgranò gli occhi, e si fermò di colpo lì sul marciapiede, mentre le persone sfilavano di fianco a lui, sorridenti, in un'assolata e tranquilla mattinata ateniese.

«Rossella?!» esclamò dopo un po'. «Gualtiero, ma tu sai quali sono le sue idee sui gay? È talebana cattolica fino al midollo... non faccio fatica a pensare che lo abbia fatto app...»

Ma non fece in tempo a terminare la frase che sentì uno dei rari ruggiti di Gualtiero Riccobono, solitamente capo affabile e gentile: «ROSSELLAAA!!!».

Ulisse si immaginò le sottilissime pareti del suo ufficio tremare. E la timida e devota Rossella entrare mentre la Silvy, seppure un po' spaventata, se la ridacchiava.

In qualche modo, ora, si sentiva già meglio.

Chiuse la conversazione e rimise il cellulare in tasca. L'Hotel Almodóvar era ancora lontano, ma aveva voglia di camminare.

E soprattutto aveva voglia di riflettere. Sul suo lavoro, su Khloe, su Sonia... Fra poche settimane avrebbe compiuto cinquant'anni. Si augurava di viverne altri cinquanta, e si ritrovò a pensare: come avrebbe voluto viverli? Era soddisfatto della vita che stava conducendo in quel momento?

E se avesse preso e mollato tutto come i fondatori del Rainbow Beach?

Lasciare Sonia, lasciare il suo lavoro, vendere la macchina e investire tutto il suo denaro in qualche nuova avventura. Magari proprio lì in Grecia... perché no?! D'improvviso quello che era appena successo non gli parve poi così brutto. Era vero: per quanto a volte ci tentasse, non riusciva a essere pessimista. Era più forte di lui.

E così, invece di prendere la strada più veloce per l'Hotel Almodóvar, si mise a deviare per le stradine, passeggiando tranquillamente. A un certo punto si fermò anche a mangiare una fetta di baklava insieme a una tazza di caffè: finita l'arrabbiatura, il suo stomaco aveva cominciato a brontolare, ricordandogli che, con tutto quello che era successo, non aveva ancora fatto colazione.

Al diavolo se Rossella ci aveva messo il suo zampino, e se i suoi lettori gay e il presidente Zena non lo aveva capito: lui *amava* quel Paese.

Che quegli stronzi lo capissero o meno, non erano più fatti suoi.

Costa fu la prima persona che lo accolse quando giunse all'Hotel Almodóvar.

Era mortificato. Gli cominciò a dire che avrebbe dovuto liberare la stanza il prima possibile, ma Ulisse gli risparmiò ogni spiegazione ulteriore.

«So già tutto, Costa. Non ti preoccupare» gli disse stringendogli l'avambraccio con fare amichevole. «Piuttosto... Manuel?»

In quel momento, le porte dell'ascensore si aprirono e il fotografo comparve trascinando il suo trolley.

«Dobbiamo sbrigarci» disse, e Ulisse notò che aveva gli occhi lucidi. «Riccobono, quando gli ho detto che ci stavano praticamente buttando fuori dall'albergo, ci ha fatto prenotare due biglietti per il volo di ritorno. Ha detto che è meglio se torniamo subito in Italia, a questo punto. L'aereo parte fra tre ore.»

Il suo era un tono rassegnato, e a Ulisse si strinse il cuore nel vedere l'amico in quello stato.

Costa gli si avvicinò e gli sfiorò la mano. «Mi spiace.» Manuel sorrise, ma di un sorriso triste. Probabilmente, si disse Ulisse, sapeva che sarebbe presto arrivato il momento del distacco da Costa, ma non pensava sarebbe avvenuto in maniera così brusca.

«Vi lascio soli...» mormorò Ulisse. «Vado su a preparare la valigia.»

Mentre l'ascensore saliva di piano in piano, sentiva il magone fare capolino alla sua gola. Con la mente ripassavano tutte le immagini di quel viaggio e una in particolare: Khloe.

Gli spiaceva che si fossero salutati con una discussione, e che lui non avesse avuto modo di spiegarsi. Ma forse era meglio così, prima o poi si sarebbero dovuti separare.

Mentre riempiva il trolley rosa di sua moglie con i pochi vestiti che si era portato dietro, Ulisse però continuava a pensare che non aveva voglia di tornare in Italia proprio adesso. Anche se, un attimo dopo, si diceva che in fondo doveva cercare di rimediare a quello che era successo e rimettere in pista la sua carriera. Magari perfino accettare una delle proposte delle riviste concorrenti.

Il precipitare degli eventi e quella partenza così improvvisa gli impedivano di ragionare con calma.

Cosa voleva davvero fare?

Gli occhi di Bette Davis lo fissarono per l'ultima volta, poi Ulisse chiuse la porta della suite che lo aveva ospitato in quei giorni.

L'ascensore cominciò a scendere, ma si fermò al secondo piano, dove salì una signora con una nuvola di capelli argentati e lo sguardo gentile.

Quando lo vide si mise a fissarlo, poi, timidamente, gli chiese in italiano: «Ma lei non è quel giornalista? Oddio, ora però non ricordo il nome...».

«Ulisse Amedei.»

«Sì, bravo. È proprio lei, allora. Complimenti, mi piace tanto quello che dice quando va in televisione. Ma perché non ci va più spesso? Sa che la vedrei bene a condurre una trasmissione.»

In quel momento le porte dell'ascensore si aprirono. La signora, prima di uscire, gli disse: «Ci pensi, eh! Ah, bella valigia!». Poi, scuotendo la mano in segno di saluto, si incamminò a passetti incerti ma spediti verso l'uscita. Ulisse sorrise. "Ci penserò" disse tra sé e sé.

Nel silenzio del taxi, Manuel cercava nello zaino gli occhiali da sole, forse per nascondere gli occhi rossi e lucidi, che avevano pianto a lungo, mentre Ulisse rimaneva con lo sguardo fisso fuori dal finestrino.

Erano anni che non piangeva. Gli uomini non piangono. O almeno non quando qualcuno può vederli.

Poi, dentro quella macchina, mentre la radio trasmetteva un vecchio brano di Janis Joplin, *Summertime*, lui prese una decisione. Era fine giugno, non aveva impegni all'orizzonte, ed erano mesi che non si prendeva una vera vacanza. Perché mai doveva tornare in Italia?

Quando il taxi giunse al Maria Callas, il sole alto si rifletteva sulla gigantesca riproduzione della divina, Ulisse disse deciso: «Manuel, io non torno a Milano».

Il fotografo lo guardò stranito. «Come?»

«Semplicemente non ne ho voglia.»

«Torni ad Atene?»

«No, faccio un giro della Grecia. Ci sono ancora tante cose che voglio raccontare.»

«Ma non so se a Riccobono...»

«Fanculo Riccobono. Ho migliaia e migliaia di follower. Parlerò a loro, se "X-Style" non vorrà più darmi spazio. E poi si vedrà.»

Manuel rimase a fissarlo qualche istante, pensieroso.

«Vuoi venire con me?» gli chiese Ulisse.

Il ragazzo distolse lo sguardo. «N-no, torno a casa. La settimana prossima ho un nuovo lavoro e...»

«Manuel» gli disse Ulisse con tono imperativo. «Ricorda solo una cosa: la vita è tua. E se adesso tu vuoi prendere un altro taxi e tornare ad Atene da Costa, lo *puoi* fare! Nessuno te lo impedisce.»

«La fai semplice tu... Io penso che questa sia stata una vacanza, una parentesi nella mia vita. Meravigliosa, sì, ma non si può vivere in un sogno.»

«Manuel, se vuoi, puoi.»

«Ulisse, grazie.» Si mise lo zaino sulla spalla. «Spero di rivederti presto.»

Detto questo, si voltò, e si diresse a gran velocità verso l'interno del Terminal, sparendo dentro l'immensa gonna a vetri di Maria Callas.

Ulisse si voltò dall'altra parte. Inspirò a pieni polmoni. Sentiva quell'odore di Grecia che lo aveva accolto al suo arrivo, solo quattro giorni prima, e che era lo stesso che si era fissato nei suoi ricordi dai primi viaggi che aveva intrapreso in quella terra straordinaria.

Si diresse verso la stazione degli autobus. Il mezzo più adatto per un'avventura del genere.

Non sapeva bene dove andare.

L'unica cosa che sapeva era che avrebbe viaggiato, senza fermarsi mai, fino a che ne avesse sentito il bisogno.

E caricò il suo trolley rosa da Barbie Esploratrice nel bagagliaio dell'autobus.

Parte terza
IL RESTO DELLA GRECIA

19

Capitolo argento

A Ulisse pareva di essere in quel programma televisivo in cui si viaggia per il mondo con uno zaino, e con lo scopo di riuscire a farsi ospitare per la notte da qualcuno del luogo. Però a lui non interessava poi tanto dormire chissà dove e con chissà chi: meglio una normale stanza d'albergo. Tanto la sua carta di credito aveva un plafond adatto a tutte le occorrenze.

Ma una cosa, come il protagonista del programma, l'avrebbe fatta, anzi due: aprire la cartina e farsi guidare dall'istinto, per poi raccontare al suo pubblico tutto ciò che vedeva.

Si era perfino comprato, prima di salire sull'autobus, un caricatore portatile per il suo cellulare, in modo che quello che rappresentava il suo collegamento con l'Italia e i suoi lettori non lo abbandonasse mai sul più bello.

Non appena salì sull'autobus aggiornò quindi il suo stato di Facebook:

Il mio viaggio per la Grecia continua...

E mostrò la fotografia del biglietto che aveva in mano: solo andata per Delfi, la città del mitico oracolo.

Nel giro di qualche secondo ebbe una quarantina di like, che presto superarono i trecentocinquanta.

Si guardò intorno. L'autobus era pieno solo per metà: una

coppia in tenuta da trekking, lui alto e biondo, l'altro pure – inequivocabilmente dell'Europa del Nord –, un gruppo di ragazze sui vent'anni che avevano occupato il retro della vettura e parlottavano in spagnolo, e qualche altro viaggiatore solitario come lui.

Si accomodò sul sedile e si appoggiò con la fronte al finestrino. Il viaggio sarebbe stato lungo, e con diverse tappe: di volta in volta, si era detto, avrebbe deciso se scendere o meno. Tanto il suo biglietto valeva per l'intera giornata. La prima fermata fu al Monastero di Daphni. Aprì la sua guida e lesse: «Fondato nel V secolo d.C., prese il nome dalle piante...».

Si interruppe: no, non aveva voglia di chiese e simili, anche se pareva che i mosaici valessero davvero la pena di una visita. Quindi lasciò che l'autobus lo guidasse fino alla fermata successiva.

Si trattava dell'antica Eleusi, il centro religioso dove ogni anno si celebravano i Misteri Eleusini.

Ecco un luogo dove aveva sempre voluto andare. Non ci pensò due volte e scese.

Mentre prendeva il suo trolley, gli si avvicinò un uomo. «Ulisse Amedei?»

Il giornalista si voltò. «Sì...» rispose.

«Piacere, sono Maurizio, e sono un suo lettore.»

Wow, era già il suo secondo connazionale che lo riconosceva quel giorno, e non era in corso Como a Milano, ma in Grecia, lontano chilometri e chilometri da casa.

«Piacere, mio.»

Maurizio doveva essere anche lui sulla cinquantina: brizzolato, alto, la camicia leggermente sbottonata sul petto, la pelle abbronzata. Aveva il viso, e anche l'abbigliamento, di chi era in vacanza già da un po'.

Mentre l'autista chiudeva il portellone del bagagliaio e tornava al posto di guida, Maurizio gli disse: «Volevo farle i complimenti per l'articolo che ha pubblicato questa mattina. È esattamente quello che ho pensato anche io quando sono arrivato ad Atene».

Ulisse lo fissò per un istante. Lo stava prendendo in giro? «Penso sia l'unico a cui sia piaciuto» sbuffò alla fine, «almeno a giudicare dalla massa di commenti negativi che sta sommergendo il sito di "X-Style".»

«Guardi, in genere i più attivi sui social network sono quelli più inclini ad attaccare e disprezzare. Comunque sono sicuro che in tanti la pensano come me a proposito del suo pezzo.»

«Magari fra gli eterosessuali, non certo fra i gay.»

Maurizio sorrise. «Be', io *sono* gay e mi sono trovato d'accordo con lei.»

«Oh, scusi» fece Ulisse.

L'autobus intanto ripartiva alle loro spalle verso la prossima destinazione.

«Si figuri. In effetti mi sono dimenticato di scrivermelo sulla fronte» rise Maurizio. «Comunque, sta andando a visitare Eleusi, vero? Possiamo andarci insieme.»

Ulisse accettò con entusiasmo. Un po' di compagnia era quello che ci voleva per iniziare quella nuova fase del suo viaggio in Grecia.

Mentre visitavano Eleusi, Maurizio raccontò a Ulisse della sua vita.

Aveva cinquantacinque anni – portati benissimo, pensò Ulisse non senza un pizzico di invidia – e aveva avuto un compagno per oltre vent'anni. Poi la loro storia era finita come finiscono tante storie: ci si comincia a distrarre, anche ad avere qualche scappatella, pensando che in fondo sia normale, poi un giorno ci si sveglia e ci si accorge che non è poi un dramma se si prova a guardare altrove, per cercare di trovare ancora la felicità.

«Avevamo perfino preso un cane insieme, negli ultimi anni! Come ogni coppia gay che si rispetti. Ma penso che sia stato un tentativo inconscio per tentare di riaccendere le ceneri... non so se mi capisci.»

«Oh, certo. Ti capisco benissimo» disse Ulisse. Dopo qualche minuto erano passati a darsi del tu. «E adesso il cane con chi sta?»

«Un po' con me e un po' con lui. Siamo rimasti amici, per fortuna. D'altronde, non concepisco come si possa arrivare a odiare dopo aver trascorso tanto tempo assieme e soprattutto dopo essersi amati come ci siamo amati noi.» Si fermarono davanti al pozzo di Kallichoron. Il cielo sopra di loro era blu, terso, e l'aria del mare arrivava fino alle loro narici. Davanti a Eleusi, non molto distante, si ergeva l'isola di Salamina, il cui significato era «pace», «calma».

E a Ulisse erano davvero bastate un paio d'ore per lasciarsi alle spalle una mattinata da dimenticare.

Sul suo profilo Facebook, insieme a un selfie di lui e Maurizio con alle spalle le rovine dei grandi propilei, scrisse:

Qui a Eleusi si respira pace e magia, nulla sembra cambiato dai tempi antichi. E si fanno anche begli incontri. Lui è Maurizio, italiano, gay, ed è innamorato della Grecia quanto lo sono io: italiano, etero.

«Andiamo a prenderci qualcosa da bere? E magari anche da mangiare...» propose Maurizio.

«Una pita gyros e poi qualche giro di ouzo?»

«Mi sembra un'ottima idea.»

Passarono a ritirare i bagagli, che avevano lasciato al guardaroba del museo di Eleusi, e si sedettero ai tavolini del Village People Café, non lontano dalla stazione degli autobus, dove vennero serviti subito.

Diedero in silenzio qualche morso ai loro piatti, per placare la fame, poi, già più soddisfatti, ripresero un discorso che a Ulisse stava molto a cuore.

«Voglio capire una cosa» disse il giornalista. «Perché secondo te molti lettori gay mi stanno attaccando in questo modo?» E gli mostrò il cellulare. Alcuni avevano già commentato il suo ultimo status di Facebook con frasi tipo: «Si vede come la ami...» oppure «La ami, però ci tieni a sottolineare che sei etero».

«A me non sembra che tu abbia detto nulla di che... certo, c'era in certi punti un vago tono di scherno.»

«Colpa di quella maledetta redattrice!» intervenne Ulisse, spiegandogli in breve cos'era successo.

«Comunque, penso che ai lettori italiani abbiano dato fastidio quelle espressioni piuttosto che la critica costruttiva fatta nel finale. Ma sulla rete, come ti ho detto, c'è molta superficialità... nessuno, magari, si è andato a leggere i tuoi articoli precedenti, l'intervista al presidente Dukas, e così via. Se li avessero letti avrebbero capito che non volevi affatto denigrare la Grecia e, più in generale, i gay.»

«Appunto.» Ulisse diede un altro morso alla sua pyta. «Ma se questo mi fa innervosire» continuò con la bocca piena «quello che mi fa davvero incazzare, ora, è che il primo ministro se la sia presa per la mia critica riguardo il patentino per votare.»

Ulisse gli raccontò brevemente cos'era successo dopo la pubblicazione dell'articolo, fino a quando aveva dovuto lasciare la sua suite all'Hotel Almodóvar.

«Sarei curioso di sapere cosa ne pensa, invece, il presidente Dukas in proposito...» commentò Maurizio dopo aver riflettuto un po'. «Le intenzioni iniziali, forse, erano buone. Se una persona vuole esercitare un suo diritto allora deve dimostrare di essere in grado di farlo e di essersi informato a dovere. Per quanto tempo i diritti Lgbt sono stati soffocati dall'ignoranza? Tanto, troppo... Ma quanto il dover sottoporre ogni elettore a un esame per poter votare è da considerarsi democratico? Non lo so... secondo me non molto, sono d'accordo con te. E, se Dukas è l'uomo che sembra, penso che il tuo articolo lo farà riflettere.»

«Ti posso fare una domanda?» disse Ulisse. «Secondo te com'è possibile che in Italia la situazione sia ancora così indietro?»

«I problemi sono due. Una classe politica inadeguata, molto spesso ignorante e fuori dal tempo e, seconda cosa, da parte nostra il personalismo. In Italia ci sono una miriade di associazioni gay, e tutte fanno un ottimo lavoro, ma è anche vero che ogni associazione pensa alla propria visibilità piuttosto che prefiggersi un più ampio orizzonte comune. Sono un po' come le mille anime della sinistra italiana, che non riesce a trovare un accordo su nulla e quindi non è mai in grado di governare da sola e serenamente... A volte mi viene da pensare che, soprattutto in Italia, i peggiori razzisti nei confronti dei gay siano i gay stessi, sempre pronti a giudicare e a non sostenersi a vicenda. Altro che lobby gay: se davvero ne esistesse una grossa e potente come quella di cui si parla, i gay sarebbero probabilmente al potere da un pezzo!»

Ulisse sorrise. «Mi consola sapere che un gay la pensa così. Per un momento ho pensato di aver scritto qualcosa di abominevole, quando invece volevo esaltare quello che qui in Grecia si è fatto, ma dire pure la mia, in qualità di cittadino straniero e – perché no? – anche di eterosessuale.»

«Dopotutto anche voi esistete!» rise Maurizio, mandando giù un sorso di ouzo.

Si era già fatto pomeriggio inoltrato, e Ulisse voleva raggiungere Delfi entro sera, in modo da riuscire a trovare una sistemazione per la notte prima che facesse buio.

«Tu da quale parte stai andando?» chiese.

«Torno verso Sud. Stasera mi trattengo ad Atene, e poi mi lancio in un tour del Peloponneso: Nauplia, Sparta, Kalamàta, Patrasso...»

«Le nostre strade si dividono, allora scambiamoci le mail» disse Ulisse alzandosi in piedi.

I due uomini si abbracciarono.

«È stato un piacere immenso conoscerti» fece Maurizio quando si separarono.

«Il piacere è stato mio. E *grazie*. Grazie davvero.»

Ulisse insistette per pagare il conto, poi guardò il nuovo amico salire su un autobus e rimase da solo ad aspettare il proprio, fumando una sigaretta.

Era sereno. Aveva fatto bene, sì, a non tornare a Milano.

In quel momento il telefono prese a vibrare. Lo estrasse dalla tasca: era sua moglie. Accidenti, non l'aveva nemmeno informata sui suoi nuovi progetti.

«Sonia!»

«Ulisse, ma cosa sta succedendo?» Il suo tono era allarmato. «Mi ha chiamato Gualtiero, voleva sapere che fine avevi fatto!»

Riccobono aveva provato a chiamarlo un bel po' di volte. Evidentemente Manuel lo aveva informato che non aveva preso il volo di ritorno e voleva spiegazioni. Ma Ulisse aveva sempre lasciato vibrare. L'ultima cosa che desiderava era parlare col suo direttore, visto come si era comportato con lui.

«E poi mi ha raccontato cosa è successo... come stai?» gli chiese sua moglie.

Ulisse ebbe un moto di tenerezza. Nonostante l'avesse tradita centinaia di volte, nonostante quella notte avesse dormito con la ragazza a cui ancora non aveva certo smesso di pensare, Sonia rimaneva la persona più importante della sua vita. Un'amica insostituibile, oltre che sua moglie.

«Bene, Sonia, grazie... Ma ho passato una mattinata che non auguro a nessuno.»

Non poteva raccontare che aveva anche litigato con Khloe. Non erano ancora così *amici*.

«Sei più bersagliato di Dolce & Gabbana» rise lei.

«Eh sì... spero però di risalire la china.»

«Tu puoi fare tutto, lo sai.»

Ulisse la immaginò sorridere all'altro capo del telefono.

«Ora dove sei piuttosto?»

«In viaggio verso Delfi. Ho deciso di trattenermi ancora qualche giorno qui in Grecia, un po' perché ho bisogno di riposarmi, un po' perché penso ci sia altro da raccontare. Sto facendo una specie di reportage autoprodotto su Facebook, alla scoperta della vecchia e della nuova Grecia.»

«Ci tieni molto, eh?»

«Ma lo sai, Sonia... devo dirti di sì. E tu, sei riuscita a mandare in stampa il libro di JT Johnson?»

«Domani è il grande giorno. Speriamo di farcela. I traduttori hanno voluto apportare qualche ultima modifica... non ce la faccio più, ieri sono stata in ufficio fino alle dieci... uff... con uno di loro.»

«Tu riesci a far tutto, lo sai» disse Ulisse.

Un attimo di silenzio, in cui entrambi si sentirono sorridere a vicenda, a un capo e all'altro della linea telefonica.

«Allora ci sentiamo?» chiese Sonia.

«Ci sentiamo.»

Mise giù. E ripensò alle parole di Maurizio: che il suo matrimonio fosse giunto al suo capolinea definitivo?

In quel momento arrivò il suo autobus, annunciato dalla scritta GreciaTrans argento su sfondo fucsia. Ulisse fece sistemare il trolley rosa di Sonia nel bagagliaio e saltò a bordo.

Andò a sedersi in fondo alla vettura. Nessun gruppo di ragazzini all'orizzonte. Appoggiando di nuovo la testa al finestrino chiuse gli occhi. Poteva dormire un po': la strada per Delfi era ancora molto lunga.

20

Capitolo giallo

Delfi, secondo la leggenda, era il centro del mondo. Fu sul suo cielo, infatti, che si incrociarono le due aquile liberate da Zeus agli antipodi della Terra. Ed era qui che si trovava il grande santuario di Apollo, il quale parlava ai postulanti tramite la Pizia, la sacerdotessa a cui tutti si rivolgevano per indagare il proprio futuro.

Forse in nome di questa tradizione, la sera prima Ulisse aveva incontrato diverse veggenti che offrivano i propri servigi per le strade della città nuova, una persino all'ingresso dell'hotel Alkistis Protopsalti – nome difficilissimo di una famosa cantante lesbica greca – in cui aveva preso alloggio.

Dopo aver mangiato, e passeggiato un po' da solo, ogni tanto scattando qualche fotografia, e poi aver preso un gelato, gusto Tainted Love, alla Gelateria Boy George, gestita da una coppia di lesbiche sulla settantina che non smettevano di punzecchiarsi a vicenda, alla fine non aveva trovato niente di meglio da fare che approfittare anche lui di una di queste veggenti.

La donna si era messa ad armeggiare con un mazzo di tarocchi e alla fine si era espressa: la vita di Ulisse stava per cambiare, e presto – anche se non poteva dire con esattezza quando – avrebbe affrontato un viaggio molto importante.

Ulisse aveva provato a protestare, dicendo che un viaggio importante lo aveva già affrontato, ma la veggente aveva agitato i suoi polsi carichi di braccialetti e, chiudendo gli occhi impiastricciati di trucco nero, aveva posto fine alla discussione. Poi gli aveva chiesto, neanche troppo gentilmente, il conto: cinquanta dragme.

«Alla faccia!» aveva esclamato lui.

Se avesse potuto avere un responso dal vero oracolo di Delfi, pensò Ulisse quella mattina, giunto nel sito archeologico forse avrebbe capito che fare... anche se, in realtà, non è che le indicazioni dell'oracolo fossero sempre così precise come la storia insegnava.

Si limitò quindi a visitare il Recinto della Marmaria, l'enorme stadio che conteneva settemila persone e che ospitava ogni quattro anni i Giochi Pitici. Poi, a un negozietto di souvenir, comprò un'iscrizione che recitava, invece del classico «Conosci te stesso», «Scopri che tipo di gay c'è in te», cominciando a pensare a chi potesse regalarlo.

Poi, fra rovine in miniatura ed enormi matite colorate con stampate sul dorso mini cartoline della Grecia – oggetti di cui non aveva mai compreso l'utilità –, vide alcune guide.

Una tra tutte attirò la sua attenzione: era verde e c'era scritto, a grossi caratteri bianchi, THESSALIA.

La Tessaglia. La terra di origine di Khloe.

E lì, in mezzo a quelle rovine, in quello che una volta veniva considerato il centro del mondo, Ulisse ebbe un giramento di testa.

Era come se avesse chiesto alla Sibilla che cosa fare della sua vita e questa gli avesse risposto.

Doveva trovare Khloe. Khloe era la risposta.

Peccato che la Sibilla non fosse in grado anche di fornire recapiti telefonici. Non aveva nessun modo, infatti, per riuscire a mettersi in contatto con lei. Non sapeva neppure quale fosse il suo cognome. Sapeva però il paese in cui era nata e cresciuta, o almeno se faceva mente locale forse sarebbe riuscito a ricordarselo.

Comprò la guida, che aveva annessa una cartina, e la aprì subito. Poi con gli occhi viaggiò da un punto all'altro: tutti quei nomi sembravano non dirgli nulla, finché, a un certo punto, tra Metéora e Karditsa, trovò quello che stava cercando.

Trikala. Sì, il paese di origine di Khloe era Trikala. Era quella la sua prossima meta.

Ulisse si era immaginato un villaggio con una chiesa e poche case bianche basse, un olio&vini e un benzinaio in periferia. Sperava solo di riuscire a trovare una sistemazione per la notte.

Ma quello che lo attendeva era ben diverso: Trikala era stata una cittadina di settantamila abitanti. Oggi ne aveva persi un po', per via dell'esodo, ma non era un paesino in cui tutti si conoscevano e si salutavano per la strada: era una città con un fiorente mercato, bellissimi edifici con travature esterne in legno e dove, di sicuro, avevano vissuto decine di Khloe.

Cercare la sua sarebbe stato come sperare di trovare un ago in un pagliaio o, come avrebbe detto Marco, un eterosessuale a un concerto di Cristina D'Avena.

Quindi ci rinunciò in partenza. Prese alloggio all'Hotel Hisham II, dal nome di un califfo di Cordoba noto per avere un harem maschile, un alberghetto a conduzione familiare, gestito da una coppia di gay olandesi aiutati dalla figlia sedicenne, dove gli fu assegnata – a prezzo scontato in quanto possessore di DragCard – una camera con vista su una torre campanaria.

Mentre tirava fuori dalla valigia solo un cambio – non aveva in mente di fermarsi più di una notte – il display del suo telefono si illuminò.

Era Riccobono.

Lo lasciò vibrare per qualche secondo, poi si decise a rispondere. In fondo, non poteva negarsi all'infinito.

«Ehilà, chi si risente?» disse nel suo tono più beffardo.

«Finalmente! Ma si può sapere che fine hai fatto? Sonia mi ha detto che sei in giro per la Grecia, e ho visto che stai postando decine di foto e racconti al giorno... mica vorrai fare concorrenza a "X-Style", eh?!»

Ulisse percepì che il manico del coltello stava di nuovo tornando dalla sua parte.

«Forse, visto il modo in cui sono stato trattato.»

«Ulisse, non fare lo stupido. Sai che sei sempre la firma di punta di "X-Style". Appena torni in Italia cerchiamo di far dimenticare ai lettori questa storia... sai che polemiche del genere alla fine sono sempre fuochi di paglia.»

«Ma io non la voglio far dimenticare.»

«Ulisse, conviene a tutti, fidati. E se sei arrabbiato per Rossella, ti do una buona notizia: da ieri non lavora più qui.»

«Gualtiero.» Il tono di Ulisse era inflessibile. «È proprio per le persone come Rossella che voglio continuare questo reportage, per lei ma anche per chi vede solo o bianco o nero, e non riesce ad accettare una critica, o della semplice ironia.»

«E allora cosa vuoi fare?»

«Mi prendo un periodo di vacanza qui in Grecia. Se tu vorrai pubblicare i miei pezzi, bene, altrimenti al mio ritorno vedrò il da farsi.»

Ulisse sentì Riccobono mugugnare qualcosa. «Sei la mia spina nel fianco. Vabbe', per ora continua a scrivere e a postare su Facebook, ma ricorda che tu sei *la* firma di "X-Style". Quando avrai finito mandami il tuo pezzo per il cartaceo e ne ridiscutiamo, ok? Ho già visto alcune foto di Manuel e sono meravigliose.»

«Così si comincia a ragionare!» Ulisse era soddisfatto.

Non appena riattaccò, Ulisse ricevette un messaggio da parte della Silvy, che evidentemente doveva aver ascoltato tutta la conversazione al di là delle pareti dell'ufficio del direttore: «Riccobono è terrorizzato che tu te ne vada. Lo tieni per le palle».

La sua adorata Silvy...

Le rispose all'istante: «Qui è bellissimo. Quasi quasi ad agosto torno in vacanza con te!».

Ringalluzzito da quella notizia, decise di mettersi l'abito elegante, e si spruzzò qualche goccia di Hugo Boss. Poi, mentre stava uscendo dalla stanza, si infilò la mano in tasca.

Quello che trovò lo fece sbiancare.

Era il biglietto da visita di Sabrina Grivas, la ministra delle Icone. E quello da dove era arrivato? Forse glielo aveva dato in quel lasso di tempo che l'alcol aveva completamente annullato dai suoi ricordi.

Ma non importava in che modo ne fosse venuto in possesso. Importava solo che ce lo avesse, perché quello era l'unico modo che aveva per arrivare a Khloe.

Senza pensarci due volte, le scrisse: «Cara Sabrina, spero che tu non sia arrabbiata con me. Le mie intenzioni nello scrivere l'articolo sulla Festa nazionale erano buone... in ogni caso, ora ho bisogno di chiederti un favore. Potresti darmi il numero di telefono di Khloe? Devo parlarle». Era un messaggio abbastanza paraculo? Aggiunse una faccina con l'occhiolino e lo inviò.

Nel farlo sentì il cuore balzargli fino in gola. Ma in fondo, pensò, non aveva nulla da perdere. Nel peggiore dei casi, la ministra avrebbe semplicemente cestinato il suo messaggio.

Decise che non era il caso di restare in camera ad attendere la risposta col cellulare in mano come un adolescente, e uscì per cercare un buon ristorante.

Svoltato qualche angolo trovò esattamente quello che stava cercando: l'Antinoo, un ristorante greco in cui riuscì a farsi capire dal proprietario – Dimitris, un vecchietto dal saluto cordiale – solo indicando i piatti sul menu. Si fece portare dello *tsatsiki* come antipasto e a seguire una porzione di *moussaka*, e per finire delle *loukoumades* – sinceramente un po' troppo dolci per i suoi gusti.

Al tavolo di fianco c'era una coppia di anziani, che per tutta la sera si scambiarono a malapena qualche parola ma che ogni tanto sollevavano lo sguardo dal piatto e si sorridevano. Un matrimonio felice, si disse Ulisse.

E con quel pensiero, oltre che con la pancia piena, decise di farsi un giro per la città, nel tentativo di digerire almeno un po'.

A un certo punto, sbucò in una piazza in cui si era radunata una discreta folla. C'era un palco e, sullo sfondo, un grande telone bianco.

«Che succede?» chiese a una coppia di ragazzi gay, sperando che capissero l'inglese.

«È il cinema estivo di Trìkala, ma prima c'è il saggio di fine anno del coro di voci bianche. So che canteranno l'inno nazionale.»

«Ah...»

Ulisse si accomodò su una sedia e si mise in attesa. Non gli sembrava il programma più eccitante del mondo, ma non aveva nulla da fare lì a Trìkala, ed era ancora troppo presto per andare a dormire.

Poi, finalmente, quando la maggior parte dei presenti ebbe preso posto, da un lato del palco vide comparire una fila di bambini, che si andarono a disporre ordinatamente, guidati da una ragazza che aveva tutta l'aria di essere la direttrice del coro.

Si udì qualche mormorio, probabilmente madri fiere dei loro pargoli, quindi l'esibizione ebbe inizio.

Sulle prime Ulisse non riuscì a riconoscere di che canzone si trattasse, poi si rese conto che la conosceva, eccome se la conosceva.

Era I Will Survive. Solo che il riff iniziale del pianoforte non c'era – era un'esibizione a cappella – e al posto della graffiante voce di Gloria Gaynor c'erano le voci bianche di una trentina di bambini di Trìkala.

Ma lo stesso dopo un po' Ulisse si ritrovò a battere il ritmo con la scarpa. I Will Survive era sempre I Will Survive, e in fondo era il perfetto inno nazionale per la Grecia arcobaleno.

Dopo un applauso scrosciante, i bambini uscirono, si spensero le luci e cominciò il film. Si trattava di Amici, complici, amanti. Era uno dei film preferiti di Marco. Lui e Sonia lo avevano visto almeno quattro o cinque volte, installandosi nel salotto.

«Questo lo dovrebbero vedere i ragazzini a scuola! È stato il mio film di formazione» aveva esclamato una volta l'amico di Sonia. «È più istruttivo di qualsiasi campagna contro l'omofobia!»

Chissà se in Grecia avevano sentito il suo appello, visto che fra le prime file c'erano anche diversi ragazzini sui dieci anni.

Ulisse decise di fermarsi a rivederlo, tanto più che il film era in lingua originale sottotitolato in greco.

Ripercorse le vicende di Arnold, cantante di origini ebraiche che si esibiva come travestito in un locale gay a New York, e che prima incontrava Ed, il quale però decideva di sposarsi con una donna, e poi trovava l'amore con Alan. I due decidevano addirittura di adottare un figlio, anche se poi...

Accidenti, non se lo ricordava così appassionante, e commovente.

Alla fine tornò in albergo. La fatica del viaggio si faceva sentire, e non sembrava che in città ci fosse molto altro da fare.

Scrisse un ultimo post: «La moussakà del signor Dimitris ti manda nel Regno dei Cieli, in senso buono», aggiungendo la geolocalizzazione del ristorante Antinoo, quindi spense l'abat-jour.

Sabrina non gli aveva ancora risposto, e pareva non aver neanche visto il messaggio.

«Buonanotte, Ulisse» mormorò nel buio a se stesso.

E nel giro di qualche minuto stava già respirando profondamente.

La mattina spalancò le finestre e il sole greco di inizio estate lo investì in tutta la sua potenza. Si vestì in fretta e scese in strada.

Della risposta di Sabrina, ancora, nemmeno l'ombra. Che avesse cambiato numero?

Ora, proprio, non sapeva dove andare. Aprì la cartina della Tessaglia: a est, verso il mar Egeo, c'era la Valle di Tempe, e un po' più a nord il monte Olimpo.

Entro mezzogiorno avrebbe dovuto lasciare la camera, e ancora non aveva una meta precisa.

Prese il caffè a un bar della piccola piazza Harvey Milk, e si fumò qualche sigaretta leggendo l'edizione internazionale del «Corriere della Sera» del 29 giugno, lasciata lì da chissà chi – qualche solitario turista italiano come lui? Ancora si parlava del Family Day e ancora i partiti si scannavano su matrimoni egualitari, carcere per chi accedeva alla maternità surrogata... insomma, la solita Italia. E infatti dei tanti Pride che si erano tenuti da nord a sud per tutta la penisola poche righe appena.

Si voltò verso la vetrina, e si vide riflesso. Non aveva arcobaleni sulle guance, ma il suo volto era rilassato, disteso, come se fosse in vacanza da una settimana. Con una spuntatina ai capelli sarebbe stato benissimo. Ma dove poteva andare a tagliarseli, lì a Trìkala?

Lo chiese al barista. Prima tentò in inglese. Poi in italiano. Quindi passò al mimo, prendendosi una ciocca di capelli brizzolati e fingendo di tagliarsela con l'indice e il medio.

L'uomo al di là del bancone fece un poderoso: «Aaah!» e gli diede delle indicazioni. Doveva uscire dal bar, andare a destra, poi girare a sinistra alla terza via.

Ed eccolo, un negozio che sembrava uscire da una macchina del tempo. Ulisse diede una sbirciatina all'interno: un uomo pelato con degli occhialini sottili sottili in punta di naso stava rasando un coetaneo corpulento e con una zazzera di capelli ancora tutti neri, a parte un ciuffo bianco sul lato destro della fronte.

La poltroncina su cui era seduto il cliente era di pelle rossa, ed era posta di fronte a una parete con lavandini e specchi. Sul lato opposto c'erano delle poltroncine nere, un tavolino con qualche rivista e dei posacenere zeppi di mozziconi. In barba a qualsiasi normativa antifumo.

«Posso?» disse timidamente Ulisse.

Nel locale si udiva solo il suono della lama che scorreva sulla pelle insaponata del cliente.

Il barbiere fece di sì con la testa poi, inclinandola leggermente, gli indicò le poltroncine.

Ulisse si sedette ubbidiente. Gli sembrava di essere tornato bambino. Il posto dove andava a tagliarsi i capelli, infatti, era più o meno così. Ma quarant'anni prima... Si accomodò accavallando le gambe, si accese una sigaretta – tanto si poteva, no? – e prese una rivista. Ovviamente in greco. Ma almeno poteva guardare le fotografie, proprio come faceva da piccolo.

C'era un'intervista al primo ministro Gregorius Zena, col suo bel faccione sorridente, e poi servizi su varie star della tv, tra cui una drag queen con un parruccone argento che conduceva un programma di cucina, e tanta, tanta pubblicità.

Una fra tutte attirò la sua attenzione: una spiaggia assolata, un mare cristallino, degli ombrelloni e una scritta, RAINBOW BEACH.

Lo stabilimento balneare, che ora era diventato un resort, messo in piedi da quei sei italiani che per primi avevano avuto l'intuizione di investire in Grecia.

L'origine, insomma, di tutto.

Ecco dove poteva andare, si disse. Si trovava ad Astakos, che non aveva la minima idea di dove fosse. Estrasse il cellulare dalla tasca e in pochi secondi lo scoprì: era sullo Jonio, proprio di fronte a Cefalonia... e Itaca. L'isola a cui doveva far ritorno l'Ulisse di Omero.

Be', se non era un segno del destino quello!

E arrivò il suo turno di sedersi sulla poltroncina rossa. Quando il barbiere lo cominciò a squadrare da dietro i suoi occhialini, si pentì di aver preso quella decisione.

«Poco!» disse mimando il gesto delle forbici sull'ultimo tratto dei suoi capelli. «Solo una sistemata.»

Il barbiere mosse il capo, come per dire che aveva compreso. E un attimo dopo Ulisse vide cadere a terra una ciocca lunga quindici centimetri.

Per poco non svenne lì sul colpo e lanciò un grido di protesta.

Il barbiere si fermò con un cipiglio offeso e gli fece segno di calmarsi. Se non avesse avuto l'età di suo padre probabilmente Ulisse gli avrebbe rifilato un cazzotto in pieno viso.

E invece, dato che il guaio ormai era combinato, lasciò che completasse il suo lavoro.

Alla fine, gli costava ammetterlo, stava bene: erano anni che non portava i capelli così corti e sparati all'insù, e adesso sembrava avere almeno cinque anni di meno.

Si dice che per le donne il taglio di capelli rappresenti un cambiamento, ma quando uscì da quella vecchia bottega anche Ulisse si sentiva in qualche modo diverso.

Giunse fino alla piazza del municipio della città, per poi dirigersi verso la sua pensione, e proprio in quell'istante il telefono vibrò. Era arrivato un messaggio.

Ulisse fissò lo schermo per qualche istante, il cuore che gli batteva forte dentro il petto. E sì, era la risposta di Sabrina che tanto stava aspettando:

«Yassou Ulisse! Eccomi. Il tuo articolo sulle icone era MERAVIGLIOSO! Efkaristo! Questo è il numero di Khloe: che ragazza fortunata ;)»

Seguiva il contatto di Khloe.

Lo salvò, e subito le scrisse: «Guarda dove sono!», e si fece un selfie con alle spalle il municipio.

La sua risposta non tardò ad arrivare:

«Salutami la mia città. P.S. Stai bene coi capelli corti!»

Ulisse sorrise. L'aveva ritrovata.

21

Capitolo blu

Quando si era reso conto di quanti mezzi avrebbe dovuto cambiare per raggiungere Astakos, Ulisse aveva deciso che l'esperienza avventurosa che aveva avuto con gli autobus gli poteva bastare.

Era deciso: per raggiungere il Rainbow Beach avrebbe noleggiato una macchina. Era stato il figlio del proprietario della pensione in cui alloggiava – ma solo dopo averlo convinto a mangiare «nella più squisita trattoria della città» parole sue, alla Mihalis Hatzigiannis Kitchen, nome di un cantante gay greco cuoco provetto – ad accompagnarlo alla filiale più vicina della GlitterCar, la compagnia di autonoleggio più diffusa – e anche più economica – di tutta la Grecia.

E ora eccolo a guidare nell'entroterra greco già da un paio d'ore, fermandosi spesso a godere del panorama o per visitare qualche borgo: i finestrini abbassati, le maniche della camicia arrotolate, gli occhiali da sole e la musica sparata a palla. L'autoradio aveva in memoria un po' di playlist, da «Gay Disco Music» a «Gay Melò», da «Viaggio nella musica etero» a «Lesbo Rock», e alla fine lui optò per «Alternative Music for Gay People»: John Grant, Tori Amos, Sinead O'Connor, Damien Rice, PJ Harvey, Bjork... Roba da hipster, insomma.

Con Khloe c'era stato un intenso scambi di messaggi,

partito con uno «Scusami, non dovevo prendermela con te» scritto da Ulisse, e seguito – una quarantina di minuti dopo – dal «Lo so, non ti preoccupare» di Khloe.

E alla fine Ulisse non aveva resistito: aveva abbassato il volume dell'autoradio e l'aveva chiamata. Una, due, tre volte. La ragazza aveva risposto al quarto tentativo: «Perdonami, ero in riunione».

«Avevo voglia di sentirti, Khloe.»

«... Anche io.»

Rimasero in un silenzio imbarazzato per qualche secondo, poi Ulisse disse: «Bella la tua Trìkala! E ha barbieri proprio in gamba...».

Khloe scoppiò a ridere. «Chissà se sei andato dal signor Dellis! Era il barbiere di fiducia di mio papà!»

«Uno che taglia quindici centimetri di capelli quando gli chiedi di farti solo una spuntatina?»

«Non lo so, mio padre era calvo, ci andava soltanto per farsi regolare la barba... ma ora dove sei?»

«In viaggio, ascolto musica alternativa che piace ai gay, e sto per raggiungere lo stabilimento balneare gay per eccellenza. Allora, sono abbastanza gay-friendly per sperare, almeno, di essere tuo amico?»

«Non dirmi che stai andando al Rainbow Beach!»

«Non hai risposto alla mia domanda.»

«Sì, ti ho perdonato. Anzi, scusami se sono stata così suscettibile... e ora rispondi tu alla mia, di domanda.»

«Fiuuu! Menomale, pensavo mi odiassi!» Ulisse rideva, ma era emozionato. «Hai indovinato, sto proprio andando a trovare i miei sei connazionali. Secondo me tra un due-tre ore sarò arrivato... di' al tuo amato primo ministro che le strade dell'entroterra non sono poi così all'avanguardia!»

«Non volevi assaporare un po' della vecchia Grecia?»

Ulisse adorava quando si punzecchiavano a quel modo.

«E tu non hai voglia di prenderti una pausa dal caos di Atene?»

«È... un invito?»

Il tono di Ulisse si fece improvvisamente serio. «Assolutamente sì. Non riuscirei a sopportare l'idea di tornare in Italia senza averti rivisto almeno una volta.»

«Ci penserò.»

«Ok...» Ulisse rimase in silenzio per qualche secondo. «Allora, ci hai pensato?»

«Non fare lo stupido» rise Khloe. «Ho detto che ci penserò. Lasciami un po' di tempo.»

«Ok, è giusto. Allora ciao, Khloe. E... a presto, spero.»

«Ciao, Ulisse. Un bacio.»

Quando aveva rialzato il volume dell'autoradio, Sinead O'Connor stava cantando *Nothing Compares 2 U*. Quale colonna sonora migliore di quella per riprendere il suo viaggio dopo la telefonata con Khloe?

Fuori dal finestrino la campagna greca si estendeva alternando verde e marrone, mentre il cielo blu era solcato da poche, solitarie nuvole bianche. A vederla così, era impossibile pensare che in quella parte di mondo qualche volta potesse piovere.

Di colpo sentì di nuovo quella malinconia che lo aveva colto la mattina successiva alla Festa nazionale, come se quei giorni che stava vivendo fossero solo una parentesi di sogno nella sua esistenza. Era tutto così avventuroso, così romantico. Non poteva essere sul serio la realtà.

O forse si viveva solo per assaporare singoli momenti come quello?

Alzò ancora di più il volume. Era la voce di Thom York dei Radiohead, ora, a scavargli nell'anima con la loro *The Tourist*, invitandolo a rallentare, rallentare, rallentare.

Decise di ubbidire, tanto la strada era deserta, dietro di lui. E se anche fosse arrivato qualche guidatore frettoloso, si sarebbe lasciato superare ascoltandolo strombazzare col suo clacson.

L'impazienza non faceva più per lui.

Arrivò al Rainbow Beach che il sole stava giusto scomparendo oltre la linea del mare e il cielo si era tinto di tutte le sfumature del viola e dell'arancione.

Ormai era tardi per andare in spiaggia, così decise subito di provare a vedere se c'era una camera disponibile.

Il Rainbow Beach, così come aveva letto, non era un semplice albergo con annesso uno stabilimento balneare, ma un vero e proprio resort. Non appena entrò, passando sotto un varco a forma di arcobaleno, vide cartelli che indicavano piscine, campi da calcio, tennis e persino da golf, la Rosa Luxemburg Discothèque, un supermarket della catena DragStore, una biblioteca – sì, una biblioteca – e, ovviamente, la spiaggia attrezzata.

Ma prima bisognava oltrepassare una sbarra. Gli si avvicinò un ragazzo. «Nuovo cliente?»

«Sì, ho bisogno di una camera.»

«L'albergo è da quella parte» gli indicò il ragazzo. «Vedrà anche le indicazioni per il parcheggio.»

Si mise in moto e subito il Rainbow Beach, stradina dopo stradina, si rivelò a dir poco enorme. Fu solo dopo aver attraversato via Graham Norton, quindi piazzetta Alexander McQueen, e poi svoltato in via Viola Valentino che giunse finalmente al parcheggio.

Lasciata l'automobile, salì per un vialetto che portava dritto all'albergo.

All'ingresso due ragazzi a torso nudo stavano fumando una sigaretta e scherzarono fra loro in una lingua che Ulisse non riuscì a riconoscere, ma dall'aspetto sembravano mediorientali. Un altro, un riccetto dalla carnagione chiara, gli fece l'occhiolino e lui abbozzò un sorriso imbarazzato ed entrò nella hall, trascinandosi dietro il suo trolley rosa.

Dentro, da una parete interamente finestrata si poteva vedere il cielo che ormai tendeva al blu, e a godere dello spettacolo erano numerosi clienti dell'hotel, accomodati su alcuni divanetti grigi, minimal, come tutto l'arredamento.

Al bancone della reception c'era una bella ragazza, con i capelli biondi tirati su in una coda alta.

«Buonasera...» disse Ulisse. «Non ho prenotato, mi chiedevo se ci fosse una camera libera.»

La ragazza piegò la testa da un lato. «*Kalimera*. Un secondo, controllo subito.» E digitò qualcosa sul computer che aveva davanti. Alla fine emise il suo responso: «Le posso dare una singola al primo piano. Può andarle bene?».

«Andrà benissimo, grazie.»

«Perfetto. Ho bisogno di un documento, allora.»

«Oh, certo, ecco a lei» disse Ulisse porgendole il suo passaporto, e il visto speciale concessogli dalla Repubblica greca in quanto giornalista straniero senza che avesse dovuto fare nessun test di gay-friendlytudine.

«Ah!» esclamò. «*Italiano*. È la prima volta che ospitiamo un giornalista italiano, lo sa?»

Lo sapeva, lo sapeva, pensò sorridendo. Lui, Ulisse Amedei, era stato il primo italiano a intervistare il presidente della Repubblica Costantino Dukas e il primo ministro Gregorius Zena.

«Mi attenda qui solo un secondo» disse la ragazza, e scomparve al di là di una porta.

Ulisse rimase col gomito sopra il bancone per qualche minuto. Alla fine, per ingannare l'attesa, prese una caramella alla liquirizia da una ciotola e se la mise in bocca.

A un certo punto, tra le persone sedute nei divanetti della hall, gli parve di vedere Tim Cook, il CEO di Apple. Lo osservò a lungo: possibile che fosse proprio lui?

Per poco, concentrato com'era, la caramella non gli andò di traverso quando la ragazza fece ritorno in compagnia di una donna e due uomini, che lo salutarono con un fragoroso: «Benvenuto!».

E quelli chi erano?

«Siamo Teresa, Giulio e Ricky» gli disse la donna, alta, magrissima e con un paio di occhialini tondi. «Siamo i proprietari del Rainbow Beach.»

Ulisse osservò anche gli altri. Giulio era un tipetto basso, lievemente sovrappeso ma con due occhi azzurri che ti perforavano, mentre Ricky era uno spilungone moro, con un naso enorme e un sorriso a trentadue denti.

«Ma non eravate sei?»

«Certo, gli altri ci raggiungeranno più tardi» rispose

Giulio, che aveva una vocina tendente all'acuto e, a dir la verità, non troppo piacevole.

«Siamo contenti di averti qui!» intervenne Ricky. «Ti stiamo seguendo su Facebook, sai, e speravamo che venissi a farti un giro anche dalle nostre parti.»

«Io stavo quasi per mandarti un invito» sorrise Teresa, i cui occhi erano quasi due puntini dietro le spesse lenti che portava su un naso liscio e lungo. «In ogni caso, abbiamo una stanza *speciale* per te.»

«La suite presidenziale!» riprese la parola la ragazza delle reception tutta eccitata. Probabilmente era molto raro che qualcuno vi alloggiasse. «Quattro camere, salone, due bagni, terrazzo con piscina e vista panoramica... *le può andar bene?*»

Benissimo, da una singola ai piani bassi, passava praticamente a una reggia.

«Mi adatterò.»

Teresa, Giulio e Ricky scoppiarono a ridere. Poi Teresa disse: «Ulisse, ti aspettiamo per cena. Stasera sei nostro ospite».

«Be', non viziatemi troppo, altrimenti alla fine mi convincerò di essere diventato un presidente della Repubblica...»

Quella battuta non era un granché, si rese conto Ulisse, e infatti soltanto Ricky gli rispose con una risatina, ma per uno che aveva un sorriso perennemente stampato in volto non era poi chissà che conquista.

«Bene» disse Teresa. «Ora noi finiamo di sbrigare qualche faccenda. Appuntamento tra mezz'ora al ristorante sulla rotonda?»

«Avete anche una rotonda?»

«L'ha voluta Paolo: la rotonda Jean Paul Gautier. È il romanticone del gruppo, più tardi lo conoscerai.»

I tre allora si congedarono. Un valletto vestito da marinaio venne a prendere il bagaglio di Ulisse e lo condusse fino all'ultimo piano.

Dopo aver attraversato un lungo corridoio ed essere entrato da una porta in cui sarebbe potuto passare un pianoforte a coda raggiunse la suite presidenziale, la Cristina di Svezia – in onore della regina che rifiutò di sposare un uomo e adottò un nome maschile. Era splendida come gliel'aveva descritta la ragazza alla reception.

I divani del salone – tre, per l'esattezza, disposti di fronte a un televisore *gigantesco* – erano un invito al relax, ma visto che aveva solo mezz'ora di tempo, Ulisse, dopo aver congedato il marinaretto con una lauta mancia, si buttò sotto una doccia ipertecnologica che lo lavò, lo massaggiò, lo coccolò, e lo asciugò. Ci mancava solo che gli passasse il filo interdentale e lo vestisse di tutto punto.

Alla fine, uscendo fra i vapori, era un uomo nuovo.

Andò alla terrazza panoramica e si accese una sigaretta. Da lì poteva vedere il mare, illuminato debolmente dall'ultimissima luce della giornata, mentre le prime stelle cominciavano già a fare capolino lassù in alto.

Scattò una fotografia e la mandò a Khloe.

«Saluti dalla suite presidenziale del Rainbow Beach. Vuoi raggiungermi ed essere la mia first lady?» le scrisse.

Poi aggiunse: «Almeno per un giorno».

Anche la cena fu presidenziale. E per fortuna Ulisse aveva uno stomaco di ferro, altrimenti sarebbe stramazzato dopo gli antipasti e i primi.

«Ma voi mangiate sempre così?» chiese a Teresa, seduta alla sua destra.

«Solo nelle occasioni speciali!» rispose per lei Raffaele, il nerd del gruppo: occhialoni con montatura spessissima, nera, capelli biondo cenere tenuti lunghi e disordinati e un colorito pallido pallido, segno che, del mare, non gli importava un granché. Doveva essere lui l'invasato di social network che aveva permesso al Rainbow Beach di avere un successo clamoroso senza tanti investimenti pubblicitari.

Ulisse aveva fatto anche la conoscenza di Katia, bellissima, con capelli neri, tenuti corti, e un paio di vistosi orecchini viola, lunghi fino alle spalle, e di Paolo, il romanticone. Completamente pelato, ma con una farfalla tatuata sulla parte destra del cranio, aveva occhi affilati, verdi, sopracciglia folte e una barba fitta ma regolata a dovere. Aveva raccontato che nel tempo libero dipingeva, e che alcuni dei quadri appesi qua e là nei vari spazi del resort erano opera sua.

A vederli tutti insieme, i sei proprietari del Rainbow Beach sembravano una compagnia bizzarra, con pochi punti in comune. Eppure avevano creato qualcosa di straordinario.

Il Rainbow Beach aveva qualcosa in più, un ingrediente segreto, che Ulisse non riusciva bene a definire rispetto a tutti gli altri resort o villaggi vacanza che aveva visto nella sua vita – e lui non aveva viaggiato poco!

«Vuoi sapere qual è il nostro segreto?» gli chiese Giulio, come se gli avesse letto nel pensiero.

«Sì, più mi guardo in giro, più vedo la gente così felice, soddisfatta, e più ho voglia di capire. Se vi ricordate, "X-Style" dedicò un pezzo al Rainbow Beach, un trafiletto per la verità... ma ora che sto scrivendo un reportage sulla Grecia, avrei voglia di partire da qui. D'altronde è da qui che è cominciato tutto, no?»

«Esattamente» disse Ricky sorridendo come suo solito. «Non a caso il presidente Dukas ci ha nominato Pazzeschi Piumati della Reppublica.»

«Una sorta di Cavalieri della Repubblica» si affrettò a precisare Teresa, mentre Ricky si rizzava bene sulla sedia per mostrargli la spilla a forma di piuma che portava appuntata sulla giacca.

«*Bella...*» commentò Ulisse.

«Il segreto del Rainbow Beach, ti dicevo» riprese Giulio, «è stato ascoltare le proposte della propria clientela, fin dall'inizio. Infatti, quando abbiamo aperto lo stabilimento balneare e avevamo ancora solo qualche ombrellone e un chiosco che faceva limonate...»

«Eddài!» rise Katia. «Che poi Ulisse ci crede! In realtà avevamo una spiaggia attrezzata, un bel bar vista mare e un'area campeggio.»

«La solita *noiosa*» disse Giulio. «Comunque, mentre io servivo limonate, a Raffaele venne in mente di lanciare su internet un sondaggio: "Come sarebbe per te il villaggio vacanza gay ideale?".»

Raffaele sorrise un po' imbarazzato.

«Non hai idea di quante risposte siano arrivate» proseguì Giulio. «C'era chi voleva una biblioteca con la più completa selezione di titoli Lgbt. C'era chi voleva una pista da ballo con solo musica degli ABBA, una trans ci ha scritto dicendo che lei aveva sempre sognato delle passerelle sulla spiaggia che le permettessero di arrivare al suo ombrellone senza togliersi i tacchi...»

«Ehi, questo mi ricorda qualcosa!» esclamò Ulisse. «Le corsie preferenziali per portatrici di tacchi che ho visto ad Atene.»

«Proprio così. Ma infatti il principio su cui è nata la nuova Grecia è lo stesso: ascoltare i bisogni di tutti i cittadini, quei bisogni che in molte nazioni non sono ascoltati. Si può andare da cose serie come l'adottare il figlio biologico del proprio compagno fino, appunto, alla creazione di corsie preferenziali per portatrici di tacchi. L'importante è che non si ledano, mai e poi mai, le libertà altrui.»

«E così noi abbiamo cercato di ascoltare le richieste di tutti, sempre fin dove non potessero dare fastidio agli altri clienti» intervenne Teresa. «Penso sia questo il motivo per cui il Rainbow Beach ha tanto successo. I clienti si divertono, stanno bene, e si sa che quando ci si diverte e si sta bene è più facile anche fare begli incontri.»

«Non hai idea di quante storie d'amore sono nate qua...» prese la parola Paolo, che oltre al più romantico sembrava pure il più silenzioso del gruppo. «Alla fine abbiamo anche pensato di creare una cappella in cui celebrare matrimoni.»

«Stile Las Vegas?»

«Dipende... per chi le vuole abbiamo cerimonie sbrigative, ma in genere vedo che vengono predilette cerimonie in cui si percorre lentamente la navata con in sottofondo la marcia nuziale, ci si scambia promesse solenni, eccetera eccetera. In fondo, ci si dovrebbe sposare una volta sola nella vita.»

«Sì, è un *errore* che si fa una volta soltanto!» intervenne Giulio.

«Uff, ora comincia!» sbuffò Katia. «Il suo matrimonio è durato un anno e mezzo.»

«Sono durate più le pratiche per il divorzio che il matrimonio vero e proprio» squittì l'altro.

«Ha scoperto che lo tradiva» spiegò Katia. «Lui era un tenore... posso raccontare, Giulio?»

«Lo stai *già* facendo, mi sembra...»

«Bene, lui era un tenore, anche piuttosto famoso. Si sono conosciuti qui al Rainbow Beach e si sono innamorati follemente. Poi il tenore è partito per una tournée, e non ti dico i pianti disperati che abbiamo dovuto sentire... poi, però, quand'è tornato Giulio se l'è sposato all'istante.»

«Peccato che ogni volta che mio marito partiva a me spuntava un nuovo cornino sulla testa» concluse Giulio.

«Dài, non sei il primo e non sarai l'ultimo a portare un po' di corna» cercò di sdrammatizzare Raffaele. «E tu» aggiunse rivolgendosi a Ulisse, «sei sposato?»

Ulisse bevve un sorso di vino dal bicchiere che stava portando alle labbra e, dopo aver deglutito, rispose: «Sì, da tanti, tanti anni».

«E hai figli?»

Il giornalista abbassò lo sguardo. «No. All'inizio non li abbiamo cercati, e alla fine non sono più arrivati. È andata così.»

«Dài, niente discorsi tristi questa sera! Dobbiamo festeggiare!» disse Ricky alzandosi in piedi e sollevando il bicchiere. «A te, Ulisse, e al successo del tuo reportage!»

Durante la cena, Ulisse aveva chiesto ai suoi sei commensali cosa pensassero delle polemiche sorte dopo la pubblicazione dell'ultimo articolo sulla versione online di «X-Style».

La risposta che più gli era piaciuta era quella che gli aveva dato Giulio, che sembrava aver frequentato un corso intensivo di Educazione Cinica: «Se un gay si offende per quelle cazzate allora non ha proprio il senso dell'umorismo. E, poi come si fa a definire omofobo uno che parla della bandiera rainbow a quel modo?! Hai quasi commosso anche *me*!».

«Ma in Italia la comunità Lgbt è incazzata, si sa, e parecchio suscettibile» si era inserito Paolo, «e non ha tutti i torti: sono più di trent'anni che si parla di una legge che badi ai loro diritti, e ancora non si è giunto a qualcosa di decente.»

«Comunque ora metto a posto tutto io» se ne era venuto su a un certo punto Raffaele. «Sono o non sono il mago dei social network? Nel giro di qualche ora, Ulisse Amedei, tu sarai diventato un paladino dei diritti gay! Ti do la mia parola.»

E così era stato. Erano bastate un paio di foto del «superospite del Rainbow Beach» Ulisse Amedei, un video del giornalista che raccontava ai sei fondatori, tra una portata e l'altra, della parata del 28 giugno, e nel giro di una cena – lunghissima, certo, ma pur sempre una cena – Ulisse era stato riabilitato. Uno dei più importanti blogger gay d'Italia gli aveva dedicato un post, che era rimbalzato di bacheca in bacheca, e sembrava che le accuse che lo avevano colpito solo un paio di giorni prima fossero solo un lontano ricordo.

La rete era davvero pazzesca, aveva pensato Ulisse. Un momento era una sabbia mobile, e il momento dopo un trampolino di lancio per la celebrità. Prima che tornasse a essere una sabbia mobile in cui affogare, quindi, era meglio festeggiare.

E allora sollevò il bicchiere insieme a Ricky e agli altri, ma fece di più: prese una forchetta e la fece tintinnare contro il vetro.

La sala si zittì, perfino la drag queen al pianoforte sollevò le sue dita dai tasti bianchi e fucsia, lasciando a metà un notturno di Chopin – il quale, a quanto pareva, aveva avuto in vita un unico grande amore: un medico che gli fu sempre accanto. Cose che probabilmente gli studenti dei corsi di Musica dell'Università Pier Paolo Pasolini sapevano a menadito.

«Vorrei ringraziarvi» cominciò a dire Ulisse ad alta voce e in inglese. Raffaele, intanto, aveva già cominciato a riprenderlo col telefonino. «Essere vostro ospite è la ciliegina sulla torta di un viaggio che per me è già straordinario. Prima non avevo idea di cosa fosse realmente l'universo gay. Pensavo che tutti fossero come il miglior amico di mia moglie: una maestrina dalla penna rossa» disse sorridendo pensando a Marco quando avrebbe visto il video in Internet. «Certo, alcuni gay sono davvero così, così come ci sono quelli fissati con la moda – e qui in Grecia dovreste saperlo, visto che avete persino un'apposita Polizia del Buongusto...» Qualcuno dei presenti ridacchiò. «Ma ho capito una cosa, importantissima: i diritti dei gay sono i diritti di tutti. È per questo che ora voglio dire una cosa – e non si spaventi mia moglie: anche io, allora, sono gay. Siamo *tutti* gay. E *tutti* dobbiamo pretendere dalla nazione in cui viviamo il rispetto dei nostri diritti. Adesso è il momento, basta aspettare!»

Dai tavoli si sollevò un applauso fragoroso. Qualcuno, notò Ulisse, si era perfino commosso, mentre Raffaele già postava il video su qualche bacheca Facebook.

Ora non solo sarebbe diventato un paladino dei diritti gay, ma addirittura un'*icona*. Chissà se Sabrina sarebbe stata d'accordo o avrebbe dovuto corromperla in qualche modo?

Subito ricevette due messaggi, uno di sua moglie, «Bravo! E no, non mi spavento: so bene che ti piacciono le donne, perfino troppo :)», e l'altro di Marco: «Ti odio, lo sai, ma devo dirti: bravo, bravo, bravo!».

Anche Manuel gli scrisse: «Mi dispiace di non essere lì in Grecia con te!».

E intanto la sua pagina Facebook si riempiva di commenti e like, mentre i clienti del ristorante sulla rotonda venivano al suo tavolo per conoscerlo e stringergli la mano.

Quando si lasciò andare sull'enorme materasso della sua enorme suite era stanchissimo, ma ancora su di giri, anche a causa dei tanti bicchieri di vino che aveva mandato giù.

Chissà cosa avrebbero detto di lui Oscar Wilde e Marcel Proust... Non gli restava che chiudere gli occhi e sperare che Orfeo lo conducesse di nuovo a fare una passeggiata per le strade nebbiose del Paradiso dei Gay.

22
Capitolo smeraldo

Se fece qualche sogno, la mattina non ne era rimasta traccia fra i suoi ricordi. Ma fu un sogno a occhi aperti quello che lo sorprese fuori dalla porta.

A svegliarlo era stato infatti il suono del campanello.

Biascicando un: «Ma chi diavolo è?» barcollò fino alla porta.

La aprì senza pensare. Se prima si fosse guardato in uno specchio probabilmente non lo avrebbe fatto: i suoi capelli erano sparati in aria da tutte le parti, gli occhi erano gonfi e arrossati e i boxer gli si erano arrotolati in mezzo alle chiappe. Insomma, non era un bello spettacolo.

«Khloe!» esclamò non appena la vide lì, sull'ingresso, con il vassoio della colazione in mano.

«Ho chiesto ai proprietari del Rainbow Beach se potevo farti una sorpresa» disse entrando nella suite e andando ad appoggiare il vassoio sul tavolo del salone.

«Khloe...» mormorò Ulisse.

«Ulisse...» disse lei.

E finalmente corsero l'uno nelle braccia dell'altra, rimanendoci per un tempo che Ulisse non riuscì a quantificare, tanta era l'emozione che stava provando.

«Dovevi avvertirmi, così almeno mi sarei lavato i denti» protestò Ulisse passandole le dita fra i capelli.

Khloe sorrise. «Li laverai dopo aver fatto colazione.»

«Andiamo sulla terrazza» propose Ulisse.

Ora che era mattina, il mare era incantevole. In lontananza si poteva vedere il profilo di Itaca, mentre sulla spiaggia qualche ombrellone era già aperto.

Khloe lo raggiunse col vassoio e si sedette a un tavolo di legno scuro, su cui avrebbero potuto mangiare anche otto persone. Un'intera famiglia presidenziale. «Ti sei trattato bene, eh... la suite Bette Davis era troppo spartana per te?»

«Tutto offerto dai ragazzi del Rainbow Beach» rise Ulisse, bevendo un sorso di succo d'arancia.

«Sì, sono molto carini, in effetti.»

«*Tu* sei carina!»

«Ulisse...»

«Sono contento che tu sia qui.»

«Anche io sono contenta di essere venuta. Volevo parlarti, e volevo salutarti...»

Quel «salutarti» risvegliò subito in Ulisse la malinconia che gli era capitato di avvertire già un paio di volte durante quei giorni: la sensazione che il sogno bellissimo di cui era stato protagonista stesse per concludersi.

«E poi volevo portarti di persona i complimenti del presidente Dukas. Ha apprezzato molto l'ultima parte del tuo articolo, e in questi giorni so che ha avuto diversi colloqui privati col primo ministro. Chissà che si stia rivedendo la questione del patentino per votare...»

Ulisse era tutt'orecchi.

«Ieri, intanto, nel pomeriggio è però stato nominato un nuovo ministro degli Etero dopo lo scandalo, ricorderai, di Mikalis Harakis...»

«Sì, ricordo bene» ridacchiò Ulisse.

«Il nuovo ministro è una donna, eterosessuale, greca...»

«Tu?!» esclamò lui alzandosi di colpo in piedi.

Khloe arrossì e sgranò gli occhi. «Ma no! Che ti salta in mente? Però anche per me c'è qualche novità all'orizzonte.»

Ulisse si risedette, fece qualche respirone, poi con una mano prese una brioche e con l'altra accarezzò la guancia sinistra della ragazza.

«Spero belle novità.»

«Ho avuto un nuovo incarico. Farò parte di una squadra che si occuperà di andare in giro per il mondo a portare il buon esempio della nostra nazione, a spiegare come più diritti significhino anche più benessere, e più ricchezza per tutti.»

Ulisse fece un altro respiro. «Complimenti, Khloe» le disse, poi le accarezzò il collo, dietro l'orecchio.

«Partirò dopodomani, alla volta della Russia.» La voce di Khloe era rotta dall'emozione. «È per questo che sono qui, per salutarti, e per dirti che quello che abbiamo passato insieme...»

«Lo so» la interruppe lui, dandole un bacio sulle labbra.

«Ulisse...»

Il giornalista era sempre più triste, sempre più commosso, e sempre più eccitato. Si alzò in piedi e, prendendola per mano, trascinò Khloe fino alla camera, dove la fece sdraiare sul letto ancora sfatto.

Lentamente la spogliò, baciandola in ogni punto del corpo, poi risalendo fino al suo viso le disse: «Sei la cosa più bella che mi sia capitata da molti anni a questa parte. Chissà se sarò ancora mai felice come lo sono in questo momento».

«Sono sicura di sì, basta solo che tu lo voglia» sussurrò lei.

Fecero l'amore con passione, ma anche con la tenerezza di chi sapeva che quella sarebbe stata l'ultima volta.

Più tardi decisero di scendere in spiaggia.

Khloe, che pensava sempre a tutto, si era portata un costume, al contrario di Ulisse, che dovette farsene prestare uno da Paolo.

«Molto... *etero*» commentò la ragazza con un risolino mentre facevano il loro ingresso nella spiaggia e si dirigevano verso la battigia.

Era un costume bordeaux con delle frange dorate, e una farfalla stampata sul didietro.

«Si abbina bene al tatuaggio che Paolo ha sulla testa» disse Ulisse roteando gli occhi.

«E comunque anche a te sta bene» soggiunse Khloe assestandogli un pizzicotto sulla natica destra.

Lui fece qualche passo avanti verso l'acqua, ne prese un po' fra le mani e gliela schizzò addosso.

Lei lanciò un urlo acuto. «Nooo!!! Ti prego, *no*!»

Ma lui insistette, finché lei non poté fare altro che tuffarsi direttamente nel mare.

«Ti odio, Ulisse Amedei!», e si immerse sott'acqua, seguita a ruota da lui.

Trascorsero quella giornata così, fra bagni, scherzi, baci, spuntini, e sorseggiando ogni tanto una delle celebri limonate di Giulio.

Quando riemersero dall'ultimo bagno era già l'ora del tramonto.

E il tramonto era bello e magico come quello della sera prima, solo più struggente.

Ulisse si rese conto che il sogno stava davvero per finire. Non c'era alcun modo di riportare indietro il tempo.

Guardò Khloe, che già aveva gli occhi piantati nei suoi, e sorrise.

In quel momento passavano di lì, sulla spiaggia semideserta, due uomini, mano nella mano.

«Che belli...» mormorò Ulisse a voce bassissima.

«Cosa hai detto?»

«Che belli: sembrano così innamorati» ripeté Ulisse, poi fu come colto da un'illuminazione.

Corse fino all'ombrellone e prese il suo telefono.

In un attimo aveva scattato una fotografia della sagoma scura di quei due uomini che camminavano mano nella mano contro il cielo al tramonto.

«La devo... mandare...» disse fra sé e sé.

«A chi?»

«A Manuel.»

«Perché?»

«Voglio che sappia una cosa, perché penso che ancora non se ne sia reso conto.»

«Cosa?»

«Questo» disse digitando veloce qualcosa sulla tastierina.

E le mostrò il messaggio che aveva appena inviato:

«Se c'è una cosa che ho scoperto qui in Grecia è che l'amore è bello sempre, e sempre val la pena di essere vissuto. A volte può durare un'intera esistenza, a volte soltanto qualche giorno. Ma è sempre la stessa magia, un miracolo che dobbiamo accettare a braccia aperte – perché è solo per questo, in fondo, che si vive.»

Khloe aveva gli occhi lucidi, ora. Prese Ulisse per mano e cominciò a camminare, lentamente, sulla battigia.

Non si scambiarono neppure una parola. Ma camminarono, sempre l'uno al fianco dell'altra, per quelle poche ore che gli rimanevano da vivere assieme, prima che l'esistenza li portasse a chilometri e chilometri di distanza.

Non sapevano, in quel momento, se si sarebbero rivisti.

Ma non importava, perché se anche fosse stato l'amore di qualche giorno, loro l'avevano vissuto fino in fondo.

Ed erano felici.

Milano, 31 dicembre

Ancora pochi minuti e poi dirà addio a quell'anno, uno dei più memorabili di tutta la sua vita.

Ulisse si guarda intorno: il suo nuovo appartamento – un attico a pochi passi dal Naviglio della Martersana, lungo il quale ogni mattina va a fare la sua ormai irrinunciabile corsetta quotidiana – è pieno di persone. Così come è pieno ancora di scatoloni e di cose da sistemare. Eppure ha voluto lo stesso chiamare lì a raccolta amici e colleghi – e amici di amici di amici – per festeggiare quel Capodanno.

«Ci tengo, è come un nuovo inizio per me» aveva detto quando qualcuno aveva provato a proporre il proprio appartamento.

E ora eccolo lì, in mezzo a tutta quella gente che sembra divertirsi parecchio. Le bottiglie di Vinocchio e Uvagina non mancano – da quando li ha assaggiati in Grecia non riesce più a farne a meno – e il catering è ottimo.

La Silvy, che è e sempre rimarrà la sua grafica preferita di «X-Style», sta cercando di accendere la televisione per sintonizzarsi su una di quelle trasmissioni preregistrate in cui si segue il conto alla rovescia insieme a volti noti del panorama televisivo, ma pare che qualcosa non funzioni.

«Uffa!» grida. «Ma perché non va?!»

È venuta insieme al suo nuovo compagno, Leonardo, un italiano tanto silenzioso quanto muscoloso conosciuto in Grecia. Allora aveva ragione a dire che anche nei posti gay una donna può cuccare... e Ulisse che pensava fosse un'assurdità!

Riccobono – felicissimo che Ulisse sia tornato ai suoi soliti, fantastici, e superletti pezzi di life style – intanto sta armeggiando con il panettone che mangeranno dopo la mezzanotte e chiacchierando con Elisa, la sua odiata-amata editor di fiducia, la quale ha da poco fatto il suo coming out in redazione – ecco perché non l'aveva conquistata, si era detto Ulisse: è lesbica!

Tra gli invitati c'è anche Maurizio. Dopo essersi conosciuti a Delfi si sono continuati a sentire, ed è venuto insieme al suo nuovo compagno, un chirurgo plastico di fama internazionale. E poi ci sono tantissimi giornalisti amici. Alcuni, dopo il suo viaggio in Grecia e le sue prese di posizione sui diritti Lgbt, lo hanno preso in giro per settimane: «Ulisse, non è che hai cambiato sponda?».

Altri invece hanno cominciato a interessarsene a loro volta, tanto che quella che nell'ambiente viene chiamata da tutti la Rossa – una giornalista che nella sua vita non fa altro che andare a proiezioni cinematografiche per poi scrivere recensioni di 140 battute – è ora impegnata in una sorta di arringa con un flûte di azzurrissima Uvagina in mano: «Ma, voglio dire, come ci si può spiegare che un partito di centrodestra che non raggiunge neanche il 3 per cento, e che quindi non dovrebbe stare neppure in Parlamento, voglia decidere sulla sorte di gay e lesbiche che, a quanto dicono le ultime statistiche, sono il 5-6 per cento della popolazione, più del doppio di loro... è davvero una follia tutta italiana!».

«Ora parte con la solita filippica sui gay...» dice un giornalista sportivo che qualche anno fa era finito in uno scandalo di cocaina.

«Ma si sa, l'Italia è un Paese cattolico!» prende la parola il Baciapile, che segue le pagine di politica locale milanese per un quotidiano in crisi.

«Sei il solito caprone!» interviene Giada, una giornalista estremamente curvy che scrive di moda per una rivista tutta al femminile. «In Spagna, che è un Paese altrettanto cattolico, i matrimoni gay sono stati approvati dal 2005» continua prendendo una tartina traboccante di maionese e dandole un morso. «E non ci crederai, ma la famiglia tradizionale esiste ancora, gli etero sono ancora etero, la paella non è stata rimpiazzata da cetrioli, zucchine e banane, e *YMCA* dei Village People non ha sostituito il flamenco. Sono semplicemente tutti più liberi e uguali. E felici.»

Ulisse si mette tra la Rossa e Giada, e le stringe a sé: «Il prossimo anno voi due in Grecia con me».

La Rossa ride. «Se mi trovi un adone volentieri!»

«E poi si mangia benissimo!» le fa eco Giada.

In quel momento suona il campanello. «Scusate» dice Ulisse precipitandosi alla porta.

È un gruppo di giornalisti di «Casa bellissima».

«Ciao, entrate. Scusate il disordine» si sente in dovere di dire Ulisse, indicando alcuni quadri e foto posati accanto alla scarpiera dell'ingresso.

«Se dovessimo recensire casa tua dall'ascensore, sarebbe già un'insufficienza piena» dice una di loro, un caschetto biondo platino. «La luce è orribile...»

«Dovresti andare in Grecia, allora: lì per legge ci sono solo luci calde negli ascensori. E poi non sapete come sono fatte le macchinette per farsi le fototessere...»

«Lo sappiamo!» dice lei, col tono di chi ha già sentito quella storia mille volte. «Sono dotate di parrucchieri e truccatori al loro interno!»

Ulisse fa una smorfia e la bacia sulle guance. «*Benvenuta.*» E, poi, guardando tutti gli altri: «Siete in ritardo! Sbrigatevi a entrare che fra poco brindiamo!».

La televisione finalmente si accende. La Silvy è riuscita nell'impresa.

«Ulisse, le pile del tuo telecomando erano scariche!» si lamenta lei. «Per fortuna Leonardo ne aveva giusto un paio nella borsa.»

Pare sia l'uomo che risolve qualsiasi problema. Un po' il suo contrario, pensa Ulisse.

Mancano ancora dieci minuti alla mezzanotte, comunque, giusto il tempo di una sigaretta in balcone: l'ultima sigaretta dell'anno.

Fuori si muore di freddo, e da qualche parte si cominciano già a sentire dei petardi scoppiare in anticipo.

Ulisse fa un sospiro, lanciando un'occhiata verso la luce e il calore che provengono dall'interno della sua casa.

Gli sembra strano non vedere Sonia: quello è il primo Capodanno, da un sacco di anni, che non passa insieme a lei. Quando si sono sentiti prima dell'arrivo degli ospiti per farsi gli auguri sembrava felice.

Parlarle col cuore in mano al ritorno dal suo viaggio in Grecia, ora può dirlo, è stata la cosa migliore che potesse fare. Il loro matrimonio era finito da un pezzo, e a quanto pare per entrambi.

Lei ha già trovato un nuovo amore: uno dei traduttori di quell'impresa che era stata il libro di JT Johnson. La revisione, evidentemente, è stata galeotta. Lui è di qualche anno più giovane di lei, ha una barba e una pancia rassicuranti e insieme, deve ammetterlo, sembrano fare proprio una bella coppia.

Alla fine le cose sono andate come dovevano andare.

In quel momento il cellulare gli vibra nella tasca.

È Manuel, che gli ha inviato una fotografia su WhatsApp. Ci vogliono un paio di secondi prima che venga caricata, e quando gli appare, il cuore gli fa un salto dentro il petto.

È una foto, incorniciata, di lui e Khloe nel bar del Teatro Alessandro Magno di Atene, la sera in cui hanno assistito ai *Pescatori di perle* di Bizet. Lui ha gli occhiali scuri addosso e lei... lei è bellissima.

«Avrei voluto regalartela per Natale, insieme a tante altre del nostro viaggio in Grecia, ma non sono riuscito a venire in Italia. Questa è quella che preferisco. Spero ti faccia piacere averla fra i tuoi ricordi. Buon anno nuovo!»

E lì, con lo sguardo perso fra i tetti di Milano, Ulisse ripensa al suo viaggio in Grecia: a tutte le persone che ha conosciuto, ai luoghi che ha visitato, a Khloe, con cui ha trascorso attimi che non potrà mai cancellare dalla memoria... e ripensa a Manuel, a com'era, timido e timoroso della vita, e a com'è oggi: un ragazzo che ha radunato tutto il suo coraggio, ha fatto le valigie ed è partito per Atene, lasciando ogni cosa pur di non voltare le spalle all'amore che aveva appena incontrato.

«Auguri a voi, ragazzi! P.S. Ti voglio bene, Manuel. E salutami Costa» gli scrive, dando l'ultimo tiro alla sua sigaretta, che poi spegne dentro uno dei vasi.

Quando rientra, mancano due minuti appena alla mezzanotte, e tutti si stanno radunando davanti alla tv.

«Ulisse, dov'eri? Dài, stappa tu lo spumante!» gli dice la Silvy porgendogli la bottiglia. «E mi raccomando, ricordati di esprimere un desiderio per il prossimo anno.»

Un desiderio? Ulisse, afferrando la bottiglia, fa un sospiro. Ne aveva così tanti di desideri, solo qualche mese fa: diventare una star della tv, fare soldi a palate, tradire Sonia con quante più ragazze possibili... e ora che desiderio gli è rimasto?

Forse uno soltanto, il più banale possibile: essere felice. Solo che scoprire come esserlo è un viaggio infinito, e lui lo ha appena iniziato.

Ulisse comincia a muovere il tappo della bottiglia di qua e di là: riuscirà a farlo esplodere al momento giusto? Distruggerà il lampadario nuovo? E lo spumante si rovescerà sul parquet?

Dieci... nove... otto... sette... sei...

Se questo fosse un film, ora, mentre Ulisse, la Silvy, Riccobono, Maurizio e gli altri si precipitano sul balcone ad ammirare i fuochi d'artificio sopra i tetti di Milano, le loro voci e le loro grida di meraviglia sfumerebbero piano piano per lasciarci ascoltare la voce sensuale di Gloria Gaynor che canta *I Am What I Am*.

E noi spettatori saremmo lì in silenzio ad ascoltare le sue parole, e a imparare che ognuno è quel che è, e non deve mai scusarsene. Anzi, deve alzare la testa, mostrare tutto il suo orgoglio, senza lasciarsi ferire dall'ignoranza.

E la speranza, per l'anno che sta iniziando, è che questo messaggio arrivi in ogni angolo del pianeta, come un fiume di colori che entra nel cuore e nella mente delle persone, sfidando, e alla fine vincendo, qualsiasi paura.

Perché mai, *mai*, bisogna aver paura dei colori.

Postilla

Rainbow Republic è un'idea che avevo in mente da molti anni. Molto prima che in Grecia succedesse quello che è successo e che sta succedendo. La crisi greca non è il motivo per cui ho scelto di ambientarci la mia storia ma per il mio amore per quella terra e quella cultura e perché tutto sembra essere partito da là. Chiaramente è un'opera d'invenzione, e molti degli aspetti descritti di questa Grecia arcobaleno sono volutamente caricaturali, ed è probabile che gli appassionati di fantapolitica storceranno il naso. Ma non era mio scopo scrivere un romanzo credibile in ogni suo aspetto, quanto più far riflettere, provocare – e soprattutto far sorridere – in un Paese in cui il tema dei diritti Lgbt sembra sempre passare in secondo piano.

Alcune delle cose citate all'interno di questo libro sono però reali. Esiste davvero, per esempio, la Edge, Excellence & Diversity by Lgbt Executives, un'associazione che raccoglie imprenditori, dirigenti, Ad e influencer gay, e di cui si possono trovare notizie sul sito www.edge-glbt.it.

Così come è reale la Camera di Commercio gay statunitense, la National Gay & Lesbian Chamber of Commerce, (www.nglcc.org) il cui presidente Justin Nelson, attraverso la ricerca «LGBT Business Impact – Italy», ha dimostrato come negare i diritti gay faccia male anche all'economia, soprattutto in Italia.

Per i dati forniti dall'osservatorio del dipartimento di Civilizzazione ci si è basati sulla ricerca «Gay Happiness Index», pubblicata sul sito di Planet Romeo (www.planetromeo. com/it/lgbt/gay-happiness-index).

Di grande ispirazione per questo libro è stata poi la ricerca dell'economista Irene Tinagli *L'Italia nell'era creativa* (pubblicata sul sito www.cittametropolitana.mi.it), e in particolare il capitolo «Indice di Tolleranza gay», in cui si tratta della significativa correlazione tra presenza di gay e sviluppo di industrie tecnologiche.

Si consiglia ovviamente di vedere il film *Amici, complici, amanti* (Torch Song Trilogy), del 1988, diretto da Paul Bogart e scritto e interpretato da Harvey Fierstein.

Non sono assolutamente frutto di invenzione, infine, i vini Vinocchio e Uvagina, per cui si rimanda al sito www. prodigiodivino.com.

Ringraziamenti

Per me i ringraziamenti sono una cosa importante, molto importante. Quando compro un libro o un cd la prima cosa che vado a leggere sono proprio i ringraziamenti, anche se non conosco nessuno, figuriamoci quanto sono importanti quando si tratta di ringraziare qualcuno che conosco veramente! Mi sarebbe piaciuto accompagnare i nomi con un sottofondo musicale, per rendere tutto più commovente (la riconoscenza commuove sempre) ma lo trovo complicato e quindi andrò con il classico elenco.

Partirei col ringraziare la persona che ha reso tutto questo possibile, Ricky Cavallero che con grande entusiasmo e competenza ascolta le mie storie come fossero veramente importanti! Poi vorrei ringraziare Teresa Martini (la donna che visse due volte) che mi è sempre complice e che rende gli incontri possibili. Alberto Gelsumini di Mondadori che mi ha seguito in questa avventura e la prima volta che mi ha incontrato, mi ha elencato le cose che avevo già fatto nella mia carriera come un vero fan! Un ringraziamento speciale a Paolo Valentino per il suo talento e la sua visione del mondo che mi rassicura. Vorrei ringraziare Fabio Genovesi, primo perché mettere il nome di un Premio Strega fa figo ;) ma soprattutto perché mi ha consigliato, considerandomi "un collega" oltre che un amico. Un grazie a Luca Poma e Yuri Toselli, che mi stimolano, mi stuzzicano e mi coccolano sempre come se non ci fosse un domani. Il tuo grande amore per l'opera lirica, caro Fabrizio Cigni mi è stato molto utile, grazie. Grazie anche a tutte le persone che hanno lavorato per me in Mondadori senza che nemmeno lo sapessi! E infine un grazie ai miei genitori, che, ahimè, non ci sono più, ma che sarebbero semplicemente felici per me.

Mondadori Libri S.p.A.

Questo volume è stato stampato
presso ELCOGRAF S.p.A.
Stabilimento - Cles (TN)

Stampato in Italia - Printed in Italy